JN092629

新NISAとiDeCoで資産倍増

人生100年時代の新しいお金の増やし方

確定拠出年金アナリスト 大江加代

日経BP

2024年からＮＩＳＡ（ニーサ、少額投資非課税制度）が新しく、使いやすくなるということで、世間ではＮＩＳＡブームです。また、「積み立て投資」自体も若い人を中心に普及が進み、ｉＤｅＣｏ（イデコ、個人型確定拠出年金）への関心も高まっています。一方で50代以上の人は、ＮＩＳＡもｉＤｅＣｏも今から始めるのはもう遅いのでは？と誤解されている方が多くいらっしゃるようです。

投資を通じた資産形成において、運用できる期間は長いに越したことはありません。しかし、人生１００年時代、60代になっても70代になっても元気で働く人が増えている昨今の状況からすれば、積み立てや資産運用は少なくとも75歳ぐらいまでは視野に入れても大丈夫ではないでしょうか。積み上がった資産を取り崩しながら運用を継続することも踏まえると、50歳から30年近い長きにわたる資産運用が可能です。

また、50代くらいになると平均的な貯蓄額も増えてきますので、１回当たりの積立額を多くして運用資産を一気に積み上げるということも可能です。今回、年間投資枠が大きくなるＮＩＳＡは、そんな50代以上にはぴったりの制度です。

この本のタイトルにある「資産倍増」とは、新しいＮＩＳＡとｉＤｅＣｏを上手に活用することで、老後の長い生活に備えるためのお金、つまり「老後資金」を効率よく増やすことを目指しましょう、というメッセージです。これらの制度を利用するのとしないのとでは、10年後、20年後の資産額が倍くらい違ってくることは十分にあると思います。倍とはいかずとも、相当な差が出ることは確実です。

実際に活用するには、制度の理解が欠かせません。ファイナンシャルプランナーや金融機関の人に話を聞くと、どうも多くの人が、

- **NISAやiDeCoを「商品」だと思っている。**
- **NISAが大幅拡充するのだから「iDeCoにはもう出番がない」と思っている。**
- **NISA、iDeCoは投資信託での運用が主であり、投資信託はその中身の多くが株式であるにもかかわらず、「株式の基本的なことや価格変動のメカニズムはそれほど詳しく知らなくてもいい」と思っている。**
- **積み立て投資は「期間を長く取れる若い人でなければ意味がない」と思っている。**

といったような誤解をされているようです。私の夫もラジオの経済番組でキャスターをしていますが、リスナーからの質問にはもっと基本的な誤解に基づく質問もあると言います。どうも、NISAもiDeCoも税制優遇の面だけが注目されていて、「有利な節税法」とか「税メリットのあるお得な投資法」としてしか認識されていないのです。

しかし、この2つの制度の最も大きなメリットは、「長期的に資産形成が可能になる最も合理的な手法」であるということなのです。このあたりをしっかり理解していかないと、不合理な行動をつい取ってしまい、資産を大きく育てていくことが難しくなります。私はこれまで、ごく普通の方々の資産形成をお手伝いする仕事をする中で、そういう残念な結果をたくさん見てきました。

私が、給与天引きでのコツコツ投資で資産形成をする制度に関わったのは、大学卒業後に大手証券会社に入社した22歳の時です。事業主や公的団体に許可を頂いて、取引先の職場で「投資を通じた資産形成制度の利用促進」を図るのが仕事でした。そもそもなじみがない制度でしたし、証券会社の店頭にみえる投資好きのお客さまとは違い、多くの人が投資に関心が薄く、勉強もしたくはないしリスクも取りたくない。しかし「もうけたい」という欲はあるので、「長期」も「分散」もなかなか実行されません。結果、思うように利益が出ずに怒り出すお客様ももちろんいらっしゃいました（笑）。たまたまそういう部署に配属されてから、もう30年以上、投資を通じた資産形成に関わってきたことになります。

ｉＤｅＣｏには前職の証券会社の時に出合っています。15年余り「知る人ぞ知る制度」だったのが、税のメリットが注目されるにつれて利用者が少しずつ増え、２０１７年１月の加入者範囲の拡大を機に一気に普及が進みました。制度が複雑なのは難点ですが、老後資金づくりに特化した制度ならではの魅力もあり、ぜひ使ってほしい制度です。制度上・手続き上の課題については、私が現在、厚生労働省社会保障審議会の「企業年金・個人年金部会」の委員でもありますので、改善の努力を引き続きしていきたいと思います。

一方、ＮＩＳＡについては、誕生した２０１４年当時は創設にはほとんど関わりがなかったものの、今回のＮＩＳＡの大幅拡充については、２０２２年10～11月に岸田政権の「新しい資本主義」政策の一つである「資産所得倍増分科会」の委員として関わってきました。その議論の段階から政権の強い意思を目の当たりにしてきたので、まさにこれこそが資産所得倍増の柱になる制度であるということを強く認識しています。だからこそ、一時的なブームで一部の人だけが利用する制度に終わらせてはならないと思っています。

本書ではまず前半に、2つの制度の目的と併せて、皆さんの人生において、中でも老後資金を準備する上でぜひ押さえておきたいことについてお話しします。次に、2つの制度の特徴や始める前に知っておくべきことを解説し、多くの人が関心をあまり持っていないけれど、とても大事な投資信託と株式の本質についてお話しします。これは、資産運用を始めた後、運用を継続し、資産を受け取るところまで見据えると欠かせない知識です。

そして最後に、実はシニア世代こそ可能になる有利な活用法など、世代別のＮＩＳＡ、ｉＤｅＣｏの上手な使い方と、よくある疑問についてのＱ＆Ａをまとめました。他のＮＩＳＡ本、ｉＤｅＣｏ本とは少し味わいの違うものになっているかと思います。ご自身に興味のありそうなところから読んでいただいて構いませんが、巻頭から全編お読みいただくと、老後に向けた資産形成の全体像をつかんだ上で、ＮＩＳＡとｉＤｅＣｏを腰を据えて利用していただけると思います。

本書が、皆さまの老後のお金についての不安を小さくし、準備を進めるきっかけになることを願っています。

確定拠出年金アナリスト　大江加代

目次

Chapter 2

始める前に知っておくべきこと NISA編

Chapter 3

始める前に知っておくべきこと iDeCo編

Chapter 4

投資信託＋株で資産を積み上げる

Chapter 5

世代別のNISA&iDeCo活用法

Chapter 6

こんな時どうする？ どうなる？ Q&A

■本書の情報は、本文中で特に断りがない限り、2023年9月末時点のものです。著者が信頼できると判断した情報を基に作成していますが、その内容及び正確性、完全性、有用性について保証するものではありません。

■本書における情報はあくまでも情報提供を目的としたものです。投資の元本や確実なリターンを保証するものではありません。本書を参考にした投資結果について、著者及び出版社は理由のいかんを問わず、一切の責任を負いません。投資対象や商品の選択など、投資に係る最終決定はご自身の判断でお願いいたします。

■個別の投資商品の詳細については、運用会社や販売金融機関に直接お問い合わせください。株式の購入に際しては決算書や決算説明資料などを、投資信託の購入に際しては交付目論見書（投資信託説明書）や運用報告書などを必ず確認するようお願いいたします。

Prologue

序　章

NISA、iDeCoって そもそも何？

① NISA、iDeCoという「商品」は、ない

私は仕事柄、金融機関の営業の人やファイナンシャルプランナー（FP）に知り合いがたくさんいます。彼・彼女らからは、個人の投資家やこれから投資を始めようと思っている人の意見、考え方を教えてもらうことがありますので、とても役に立つし面白いです。

そんなある日、ある銀行員から、「先日、窓口にやって来たお客さんが『iDeCo（イデコ）を下さい』と言ってきたんですよ」という話を耳にしました。またあるFPからは、クライアントから「NISA（ニーサ）に投資したいのですが、どうすればいいですか？」という質問を受けた、という話も聞きました。NISAやiDeCoがどういうものかを知っている人にとっては、これらの質問は笑い話に聞こえるかもしれませんが、案外こういう質問をする人は多いのではないかという気がします。

いずれも詳しく解説した本はたくさん出ていますので、それらを読めばどういうものかは分かるのですが、単にメディアに登場する言葉だけを聞いていると、「iDeCoは有利だ」とか「NISAはお得だ」といった話がやたらと聞こえてくるので、「iDeCo

を買いたい」とか「ＮＩＳＡに投資したい」という発言が出てくるのも当然と言えるかもしれません。そこで本書では、ＮＩＳＡやｉＤｅＣｏとは何か？　というところからまず始めたいと思います。

答えを言いますと、**ＮＩＳＡ、ｉＤｅＣｏという「商品」はありません**。ここ、とても重要なところです。商品だと思うから、それを買いたいとか、それに投資したいという言葉が出てくるわけです。でも、いずれも株式や投資信託といったものと同じような金融商品そのものではないのです。では一体何なのか？　というと、これは**制度の名称**です。

例えば、「後期高齢者医療制度」というのがありますね。これは名前に「制度」と付いているので分かりやすいと思いますが、間違いなく制度です。誰も治療方法だとは思わないでしょう。75歳以上の人が利用する医療制度であることは誰にでも分かります。

ところが、ＮＩＳＡ、ｉＤｅＣｏと書くと、これは愛称なので、どこにも制度という文字が入っていません。ですから、株式や投資信託と同じような金融商品だと勘違いしてしまうのです。ＮＩＳＡもｉＤｅＣｏも制度ですから、正しくは「ＮＩＳＡやｉＤｅＣｏという**制度を利用して投資や貯蓄をする**」ということなのです。

ＮＩＳＡは租税特別措置法という法律の中で定められている制度で、正式名称は「**少額投資非課税制度**」です。こちらには制度とはっきりうたわれていますし、名前からイメージが湧くのではないでしょうか。〝少額〟で〝投資〟をすれば、そこから生まれる利益が〝非課税〟になる〝制度〟ということです。

一方、iDeCoは確定拠出年金法という法律に基づいて定められた2つの年金制度の一つで、正式名称を「**個人型確定拠出年金**」と言います。制度という文字が入っていませんが、実体は「個人型確定拠出年金制度」なのです。「確定拠出年金」という、ややいかめしい感じの言葉が出てきましたね。これについては後で詳しくお話しします。

どちらの正式名称も堅苦しく長ったらしいので、普及を促すためにNISA、iDeCoという簡単な愛称を付けたに過ぎません。

共通するメリットは「投資の利益が非課税」

NISAもiDeCoも制度として定められたのは、その様々なメリットや特典を通じて個人の資産形成を国が応援するためです。詳細は後でお話しするとして、NISAとiDeCoに共通する特典というのは、どちらも「制度を利用して投資や貯蓄をした場合に**生まれる利益に対して税金がかからない**」ということです。

これは、実は相当大きなメリットです。我々は近代国家に生まれて生活していますから、税金から逃れることはできません。働いて給料をもらっても、自分で商売をして利益が上がっても、そして株式や投資信託に投資をしてもうかっても、それらの利益には必ず税金がかかります。ところがNISAやiDeCoの場合は、本来かかるべき税金を免除してくれるというわけですから、実にありがたい制度であるのは間違いありません。

ただ、どうも世の中ではこの「非課税」という部分だけが過剰に注目されているような気がします。もちろん最大のメリットではあるのですが、ＮＩＳＡもｉＤｅＣｏもそもそもの目的が全く異なる制度ですから、**目的に合った使い方や独自のメリット**があるのです。そのあたりのことを放っておいて、ただ非課税にだけ注目するのはちょっと違うような気がします。

そこで、ここからはｉＤｅＣｏやＮＩＳＡという制度がなぜ出来たのか、そしてそもそもの目的とその違いについてお話ししたいと思います。

ＮＩＳＡ、ｉＤｅＣｏが出来た理由とは

ＮＩＳＡは、正式名称である「少額投資非課税制度」が表すように、少額で投資をする人に対して税制優遇という便宜を与えることで、投資を通じて資産形成をする人を増やしていくのが目的です。一方のｉＤｅＣｏは、これも正式名称である「個人型確定拠出年金」が表す通り、「年金」の役割を果たすものです。年金といっても「公的年金」ではなく「**私的年金**」と呼ばれるジャンルのもので、公的年金を補完する目的で資産づくりをして、老後に受け取ってもらうのがその役割です。そして、なぜこれらの制度が出来たのか、ということを考えると、使い方の答えが出てきます。

iDeCoの目的は「自分年金づくり」

まずｉＤｅＣｏについて言いますと、これは前述した通り、国の年金制度を補完するための私的年金制度の一つです。私的年金として代表的なものに、企業が運営する「企業年金」があります。これは勤めていた会社から退職後に年金として、つまり退職金を分割して公的年金に上乗せするような形で支給されるため、老後の生活を支える意味では非常にありがたい制度です。ところが、この企業年金がある**恵まれた会社はごく僅か**であり、多くの会社にはそうした制度がありません。

さらに言えば、自営業やフリーランスの人にはこうした企業年金も退職金もありませんし、もっと大変なことに、勤め人なら誰でも加入している厚生年金という国の年金制度にも入ることができないのです。従って、ずっと自営業やフリーランスという人の場合、将来受け取る公的年金の額も非常に少なくなってしまいます。

iDeCoは当初、こうした自営業やフリーランスの人、企業年金がない会社に勤める人といった、公的年金や私的年金があまり充実していない人向けに作られました。その後、利用できる人の範囲が徐々に広がり、今では60歳未満であればほとんどの人が利用できるようになっています。ただどこまで行っても、**老後の生活を支えるための年金を自分の力で準備する制度という根幹**は変わっていません。

そして、単なる投資や貯蓄ではなく、年金という老後のための資産づくりをする制度だからこそ、NISAにはない、また民間の個人年金保険などとは比較にならないほど大きな「**所得控除**」（所得税・住民税を計算する際、所得から一定の金額を差し引ける制度）というメリットがあるのです。本書の狙いの一つである「安心老後」のためということなら、まずはiDeCoをしっかりと活用するのがいいでしょう。

NISAの目的は「投資を通じた資産づくり」

iDeCoに対して、NISAの目的は全く異なります。結論から言えば、NISAは投資による成果を税制面で優遇することで、投資を通じた個人の資産形成を促進しよう、投資する人を増やしていこうというのが制度の目的の根幹です。NISAは**2024年から制度が恒久化**されるので、iDeCoと同様に老後資金を準備する点でも活用しやすくなります。ただ、これまでは制度に期限があったため、NISAと老後資金にはそれほど強い関係性がありませんでした。

iDeCoもNISAも投資で得られた利益にかかる税金がゼロなのは同じですが、iDeCoの場合は必ずしも投資商品を買うだけではなく、定期預金での運用もできます。これに対しNISAでは、**貯蓄性の高い預金や債券での運用は対象外**です。「投資」に対する税制優遇制度であり、あくまでも株式や投資信託に投資することが必要なのです。

なぜそんなことを国がするのか？　ということですが、欧米に比べると日本は個人資産の中での投資の比率が少なく、国民全体の資産増加の伸びが鈍いので、それを何とかしたいということが一つあります。そして、我が国の実体経済に投資を通じた資金を呼び込み、企業活動や経済を活性化することでも、**「資産所得倍増」の後押し**をしようというのが大きな目的なのです。つまり、あくまでも投資の促進ということです。

目的の違いによる、使い方の違い

このように見ていくと、NISAとiDeCoそれぞれの目的の違いから、自分がそれを利用すべきかどうかが分かってくると思います。例えば、老後もあるけれどその前に色々とあるライフイベントにも備えておきたい、というニーズにマッチするのはNISAですよね。一方、価格が変動するリスクのあるものにお金を絶対に委ねたくないという人であれば、いくら優遇されたとしても投資は恐らくしないでしょうから、NISAを使うことはないと思います。

iDeCoの場合は、別に投資ではなく貯蓄も可能です。目的が老後資金づくりで、それに対して所得控除という形での税制優遇があるということなら、老後は誰にでもやって来るわけですから、NISAよりは**利用し得る人は多い**と思います。しかし、すべての人がiDeCoを利用するかというと、必ずしもそうではありません。例えば、前述した企業年金が手厚い会社に勤めている人であれば、自分で老後資金をつくる必要性をそれほど強く感じないでしょう。

このように目的や仕組みが異なる制度ですから、「有利なのはどちらか?」とか「どちらから利用すべきか?」と二者択一で考えるのではなく、その時点での資産形成の目的やニーズに合わせて、**ウエートを変えながら利用していく**のが賢い活用法だと思います。

③ ＮＩＳＡ、ｉＤｅＣｏをどう使うべきか

ここで知っておきたいのは、２０２４年以降、ＮＩＳＡの制度が新しくなって利用できる期間に制約がなくなることから、ＮＩＳＡも「**老後のための資産形成**」**に相当使いやすくなる**ということです。

名実ともに、老後資産形成の両輪となった

ｉＤｅＣｏはもともと老後のための資産形成手段でしたが、ＮＩＳＡの場合は、その意味合いはそれほど強くなかったと言えます。なぜなら、従来のＮＩＳＡは「一般ＮＩＳＡ」の場合、**非課税で運用できる期間は5年**しかありませんし、そもそも制度自体も２０２３年までの時限措置だったからです。若い人、少なくとも50歳くらいまでの人にとっては、老後に向けた資産形成にはあまり役に立ちませんでした。

これに対して、同じＮＩＳＡでも「つみたてＮＩＳＡ」は**非課税期間が20年**でしたから、

これなら老後資金の準備ができると考えてもいいと思います。ただ、これまでのつみたてＮＩＳＡは積み立てられる限度額が年間40万円です。20年間フルで積み立てても投資総額は８００万円にしかなりません。従って、十分な老後資金の金額になり得るかという点では少し疑問であったかもしれません。

ところが今回、ＮＩＳＡの制度が永久に存続することになり、かつ利用可能額も年間３６０万円まで拡大したので、老後資金づくりの手段としては非常に心強い制度になったと言っていいでしょう。つまり、**ＮＩＳＡとｉＤｅＣｏという両輪**が老後の資産形成に向けて動き出したということなのです。

ライフプラン、生き方の選択肢を広げる

この後に本編で詳しく述べますが、ＮＩＳＡやｉＤｅＣｏは資産形成の有力な手段ではあるものの、これらだけで老後資金を賄うのはやや難しい面があります。なぜなら、自分が蓄えたお金には限りがあるからです。お金は使えばなくなってしまいますし、自分がいつまで生きるかは誰にも分かりません。従って、老後生活を支える一番の土台になるのは、やはり、死ぬまでずっと支給される公的年金です。そしてＮＩＳＡやｉＤｅＣｏは、その公的年金を補完する意味で非常にメリットの大きいものだと言えます。

「**公的年金を補完する**」という表現を使いましたが、ではここで言う補完とはどういうこ

となのでしょうか。「公的年金では足りないからそれを補う」というふうに考える人が多いと思います。もちろんそういう面もありますが、実はそれ以上に大きな意味があります。それは**「個人のライフプランや生き方の選択肢を広げる」**という効用です。

いまだ定年が60歳という会社が多いですから、60歳までは働くという人がほとんどだと思いますが、その後の生き方や働き方は実に様々です。60歳で完全にリタイアする人、65歳まで再雇用で働いてそこから年金を受給し始める人、転職や起業などをして65歳以降も働き70歳から年金受給を始める人など、**働くことと年金受給を巡っては実に多様なバリエーションがある**のです。

ところが金融資産をあまり持っていないと、その選択肢は大きく制限されます。生活のためには好むと好まざるとにかかわらず、働かざるを得ないケースもあるでしょう。また、年金受給の開始時期を70歳まで繰り下げることで、生涯にわたって受給月額が42％増える（額面ベース）という制度があり、このメリットはとても大きいのですが、それも70歳までの生活資金が確保されていてこその話です。

そこで、できるだけ早いうちからＮＩＳＡやiＤeＣoを使って資産形成を進めておけば、一定の金融資産を準備でき、老後の選択肢を広げることができます。これが誰にでも当てはまる、２つの制度を使う最大のメリットだと思います。早いうちからとはいっても、**40代や50代からでも十分に間に合います**し、ＮＩＳＡは老後だけでなく子育てや住宅購入といったライフプランの選択肢を広げることにもつながります。

2024年からNISAはシニアも活用しやすく

NISAは2024年からの新制度によって、これまでより有効に活用できる幅が拡大します。シニア世代のようにある程度の金融資産を持っている人にとっては、利用できる**非課税投資枠が大きく**なったり、運用資産を売却した翌年にその**投資枠が復活**したりするという新たな仕組みが導入されたことで、投資の自由度が大きく向上しています。ですので、本書の後半ではシニア世代のNISAの活用法についても解説します。

ちなみに、私の夫は現在71歳ですが、NISAが始まった2014年以降はずっとNISAでの投資信託の積み立てを続けていて、本人いわく、死ぬまで積み立て続けるのだそうです。若い人はもちろん、50代や60代以上の皆さんにも制度をうまく使ってほしいと思っています。

Chapter

1

老後資金づくりにおける NISA、iDeCoの役割

1 安心老後のための基本は〝収支の見える化〟

ライフプランセミナーなどで講師を務める際に、「老後のお金について不安な方は、手を挙げてください」と言うと、ほとんどの参加者が手を挙げます。そして、老後のためにお金はいくらくらい必要だと思いますか？と聞くと、「2000万円」という金額を口にする人が多いです。これは、今から4年ほど前（2019年ごろ）に話題になった**「老後2000万円問題」**が影響していると思われます。

でも本当にこの金額は正しいのでしょうか。皆さんの家計から毎月出ていっている支出額はそれぞれだと思います。それが老後になると、いきなり平均値として算出された金額でみんなが暮らすなどということはあり得ません。住む地域や、自宅が賃貸か持ち家かによっても大きく違うでしょう。

つまり、自分のケースで具体的に考えたわけではなく、老後がどんなことになるか分からないまま、聞いたことがある金額をベースに老後に対して**漠然とした不安を抱えている**のではないでしょうか。

〝見える化〟が不安解消の第一歩

以前、ファイナンシャルプランナーの深田晶恵さんが、テレビの番組で「老後の不安はお化け屋敷と同じだ」とおっしゃっていましたが、これは言い得て妙だと思いました。お化け屋敷が怖いのは、暗くて先がよく見えないからです。老後のお金についても同じで、将来の収支が把握できていないから怖い、すなわち不安が生じるのです。

従って、老後のお金の不安を解消するためには、まず何よりも**実態を〝見える化〟することが大事**です。電気をつけて明るくすることが必要なのです。つまり、自分の場合はどうなるかを明らかにしておくことが、安心老後の第一ステップと言っていいでしょう。これを明らかにすれば、準備すべき金額が具体的に見えてきます。そうすると不安はかなり解消されます。あとはただ、対策をすればいいのです。この作業は本来なら、**60歳までの準備期間が十分に取れる40代のうち**に行うのが理想です。

自分の老後のお金について見える化するには、まず自分の現在のお金の「出」を把握するところから始めます。日常の生活費や趣味の費用、その他の一時的な出費などです。年を取ると活動量は次第に減りますから、老後の支出は平均的には**現役時代の〝7掛け〟**と言われます。今の暮らしぶりが、実は老後に必要なお金とつながっているのです。

次に、その必要額を賄う原資となる「入り」の方を確認しましょう。老後の収入は比較

図表1-1 自分のケースで確認するのが大原則

的容易に算出できます。これは、現在とは入ってくるお金の種類が違ってくるからです。現役時代は恐らく収入のほとんどが給料や事業収入でしょうが、リタイア後に働かなくても入ってくるお金には大きく分けて3種類あります。①**公的年金**、**②会社の退職金や企業年金**、そして**③自分が保有する金融資産からの資産所得**です。広い意味では、マンションやアパートなどを保有していて、それを貸し出して家賃が入ってくる場合もこの③に入れていいでしょう。

　このようにして、現在の支出から老後の支出のおおよそを割り出した上で、自分自身の退職後の収入を計算し、足りない分があるようなら**今から投資や貯蓄で準備をする**という手順になります。この金額は人によってかなり異なります。ですから、単に○千万円足りないとかいう言葉にあおられるのではなく、まずは自分の収支の見える化をきちんと行うべきでしょう。

老後にもらえるお金、使えるお金はいくらか

まずはもらえるお金を把握しましょう。老後に入ってくるお金は大きく3つあります。そのうち、誰でも、老後になったら保険料を納めた期間などに応じて必ず入ってくるお金、それが「**公的年金**」です。どれくらい入ってくるのかを見てみましょう。

公的年金はいくらくらい受け取れるのか

働き方や年収などによって一人ひとり違うのですが、2023年4月時点で65歳になった**元会社員で、40年間働いたその年収が平均500万円**であれば、公的年金として月額16万円程度の金額を65歳以降終身、つまり死ぬまでずっと受け取ることができます。これを65歳から90歳までの**25年間に受け取る総額で計算すると4800万円**になります。

夫婦共働きであれば、年金もダブルインカムということになります。もしパートナーが全く働いていなかったとしても、月額約6万6000円の基礎年金部分は受け取れます。

こちらも25年間に受け取る額を計算すると総額1980万円で、2人分を合計して世帯で見ると6780万円となります。

「公的年金シミュレーター」を活用

公的年金の受取額を確認するには、厚生労働省が作成したツール「**公的年金シミュレーター**」が便利です。他にも「ねんきん定期便」や日本年金機構が運営している「ねんきんネット」を使う方法もありますが、慣れていない人や事前に知識がない人にとっては使いにくかったり、誤解が生じたりというケースもありました。

ところが公的年金シミュレーターは、左ページにあるように、年1回送られてくるねんきん定期便に記載されているQRコード（2次元コード）をスマートフォンで読み込み、生年月日さえ入力すれば、60歳まで現在の働き方を同じ年収で続けた場合の**公的年金の受取見込み額が瞬時に表示**されます。これは手軽です。スマホで誰でも簡単に、自分の年金見込み額を確認できます。お薦めしたい理由が他にも3点あって、

① 年金といえば必ず必要になる「**基礎年金番号**」**さえ入力不要**。

② 何歳まで働くか、今後どれくらいの収入で働くか、何歳から年金を受け取り始めるか、といった将来の公的年金額を左右する項目をスライドバーで設定すると、その設定での年金見込み額が瞬時に表示される。つまり、**いろんなパターンの年金見込み額**を手

図表 1-2 公的年金シミュレーターの使い方

出所：厚生労働省「公的年金シミュレーター使い方ホームページ」
リーフレット「公的年金シミュレーター使い方ガイド」
https://www.mhlw.go.jp/stf/kouteki_nenkin_simulator.html

軽に確認できる。

③　データはツール画面の表示中にしか使われず、ツールを閉じると消えて残らないので**セキュリティー的にも安心。**

2023年5月からは年金にかかる税金や社会保険料についても概算表示してくれるようになったので、**手取りベースの年金受取見込み額**も概算値ですが確認できます。

勤め先の制度ともらえる金額を知る

次に、勤め先の**退職金や企業年金**です。これは会社によって全く異なりますが、総務省統計局の「平成30年就労条件総合調査」によると、大学・大学院を卒業して20年以上働いた場合に、**退職給付としてもらえる金額は平均1983万円**となっています。企業規模により差がありますが、中小企業でも大卒で60歳の定年まで働いた場合の**退職給付の平均額は1119万円**（東京都産業労働局「中小企業の賃金・退職金事情（令和2年版）」）と、やはり1000万円を超えています。これだけの金額をすべて老後の生活資金に回せるのであれば、老後のお金に対する不安はかなり和らぐことでしょう。

もちろんこの数字は平均ですので、自分が勤めている会社の退職金制度・企業年金制度がどうなっていて、どれくらいの金額を受け取ることができるのかを確認する必要があり

図表1-3 会社員の退職一時金&企業年金の実態

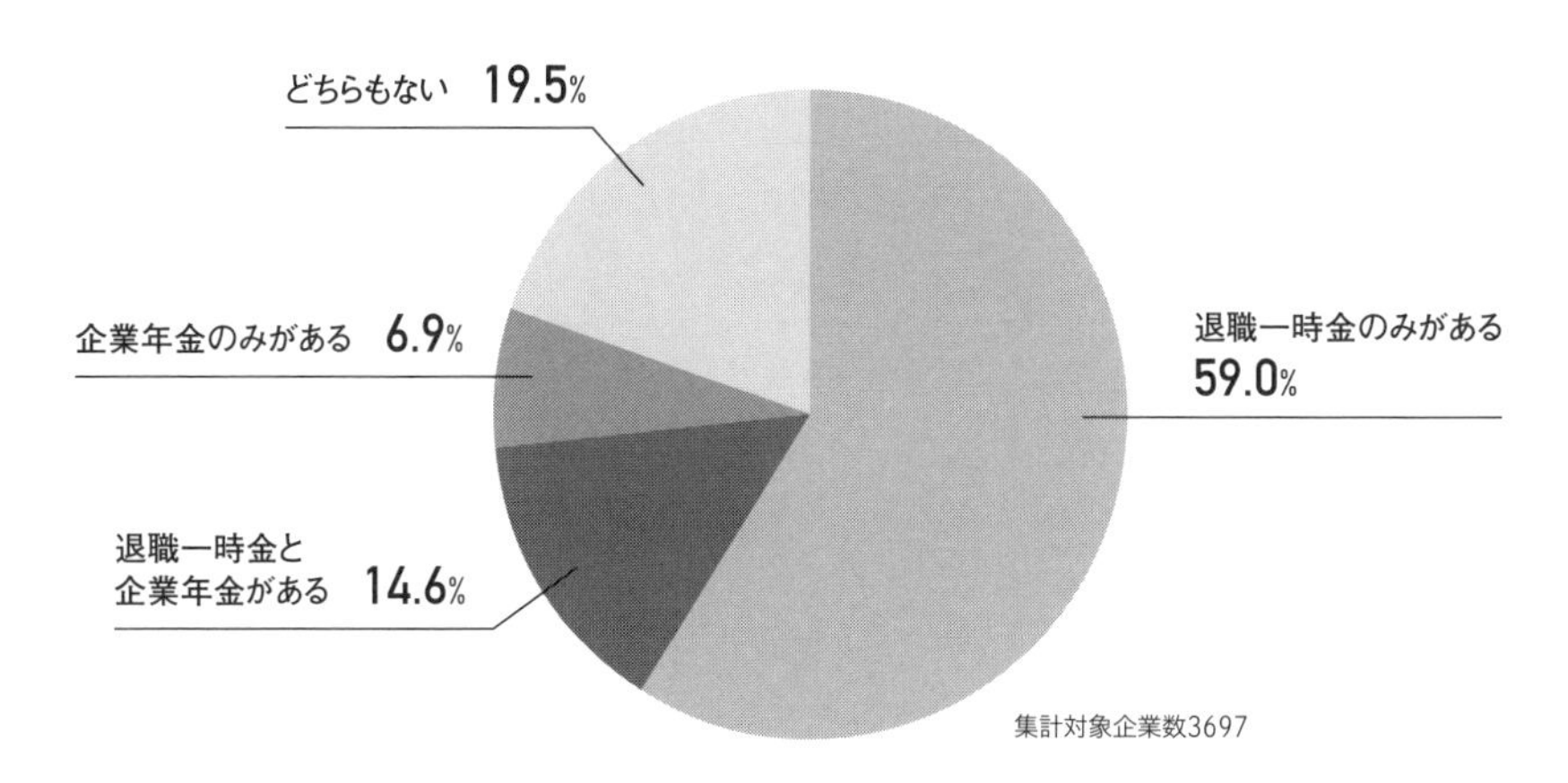

出所：厚生労働省「平成30年就労条件総合調査」 https://www.mhlw.go.jp/toukei/itiran/roudou/jikan/syurou/18/

ます。厚生労働省の調査によれば、民間企業の**約59％の会社が退職一時金のみ**があり、**企業年金がある会社は約22％**とのことです（**図表１‐３**）。退職金や企業年金が全くないという約20％の会社では、それらに相当する分を普段の給与に上乗せして支給しているものと思われます。

そうだとすれば、もらった給料を安易に全部使ってしまうのではなく、老後に向けてそこから**天引き貯蓄や天引き投資**をしておく必要があります。

多くの会社が、報酬や福利厚生制度などの情報と共に、こうした「退職給付にまつわる制度」の情報を社内のイントラネットで公開しているはずですので、一度確認しましょう。あるいは、担当部署に問い合わせてみるのも手です。会社側も自社のベネフィット（利点）を従業員に知ってもらういい機会なので、積極的に情報提供してくれると思いますが、もし聞きにくい場合は「ファイナンシャルプランナーに確認してくるように言われた」などという口実で聞いてみてもいいでしょう。

自分の金融資産、老後に回せるのはいくらか

そして、老後に使えるお金の3つ目は、**自分が持っている金融資産**です。会社が積み立ててくれている退職金の他にも、社内預金や財形貯蓄といった勤め先の制度を利用して資産形成をしている人もいるでしょう。自営業やフリーランスの人であれば、小規模企業共済といった制度を使って準備している老後資金もあるでしょう。それ以外にも定期預金、株式、投資信託といった金融資産もあるでしょう。一度、自分の資産をすべて棚卸しして、それらの中で老後の生活に回せそうなお金が現在いくらくらいあるかを確認しておくとよいです。

また、受け取り方についてタ**イミングや年数などのルールや制約があるもの**は、この機会に確認しておきましょう。いざ受け取る段になって、こんなはずじゃなかったというトラブルが防げますし、受け取り方の自由度が高いＮＩＳＡやｉＤｅＣｏを上手に組み合わせながら受け取ることで、自分に合ったリタイアメントプランを実現していけます。

左の**図表１‐４**のように、下から公的年金、勤め先の退職金・企業年金、そして老後に

図表 1-4 老後に使えるお金は主に3つある

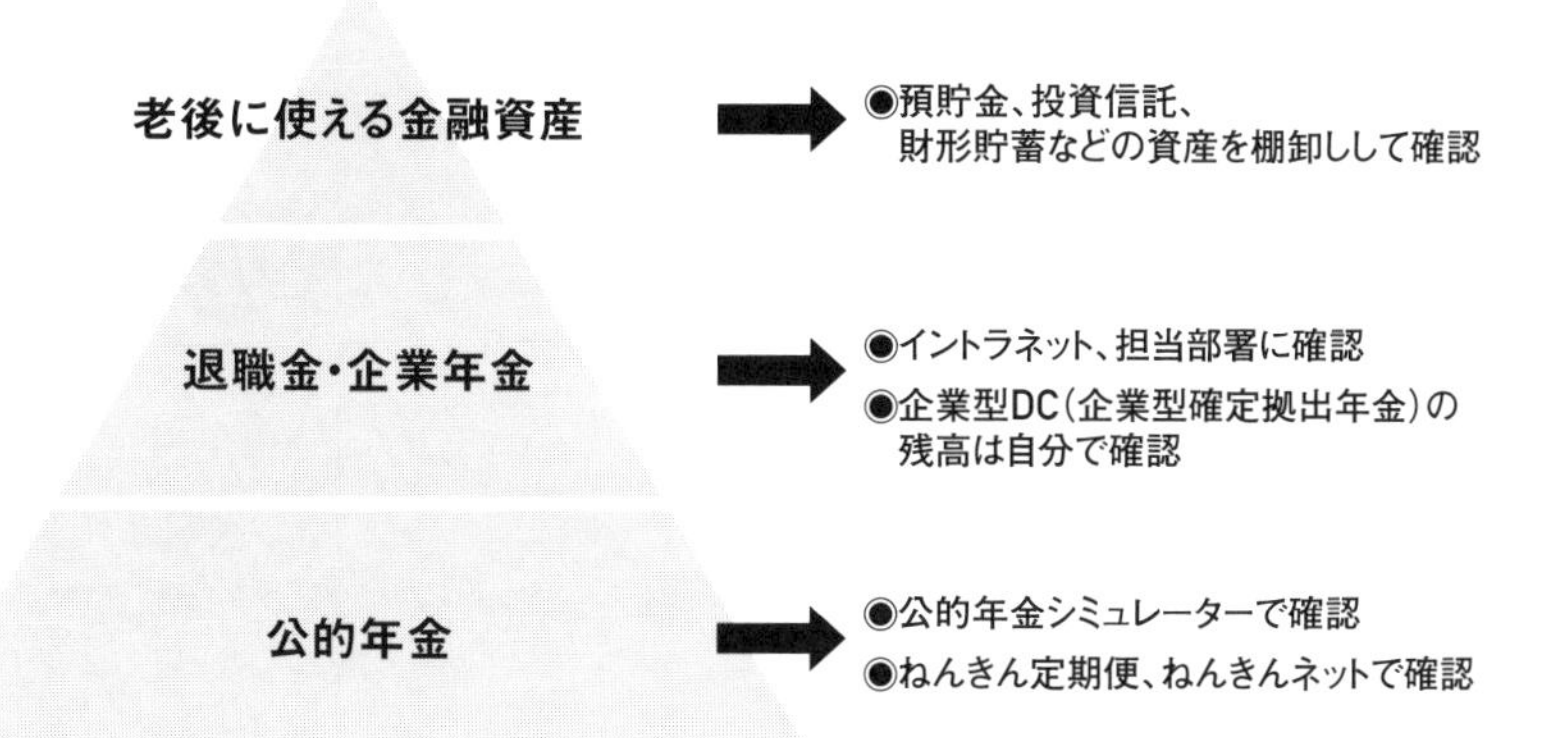

回せる自分の金融資産という3段階の構造で、これらが**老後にもらえるお金、使えるお金の現時点での見込み額**ということになります。

3 老後の生活にかかるお金はどれくらい？

さて次に、老後に出て行くお金、つまり支出がどのような構造になっているのかを調べてみましょう。

参考として、総務省統計局が毎年出している「家計調査報告」の令和4年（2022年）分によると、65歳以上の夫婦のみの無職世帯（高齢者夫婦無職世帯）の場合、消費支出の平均月額は23万6696円、これに加えて社会保険料や税金といった非消費支出の平均月額が3万1812円なので、合計すると**26万8508円が総支出額の平均月額**ということになります。65歳から80歳まで夫婦2人だと約4833万円、90歳までの25年だと約8055万円という計算になります（左ページの**図表1-5**参照。収入との関係性についてはあとで解説します）。

日常生活にどれくらい使っているか

図表 1-5 65歳以上の夫婦のみの無職世帯の家計収支(月当たり)

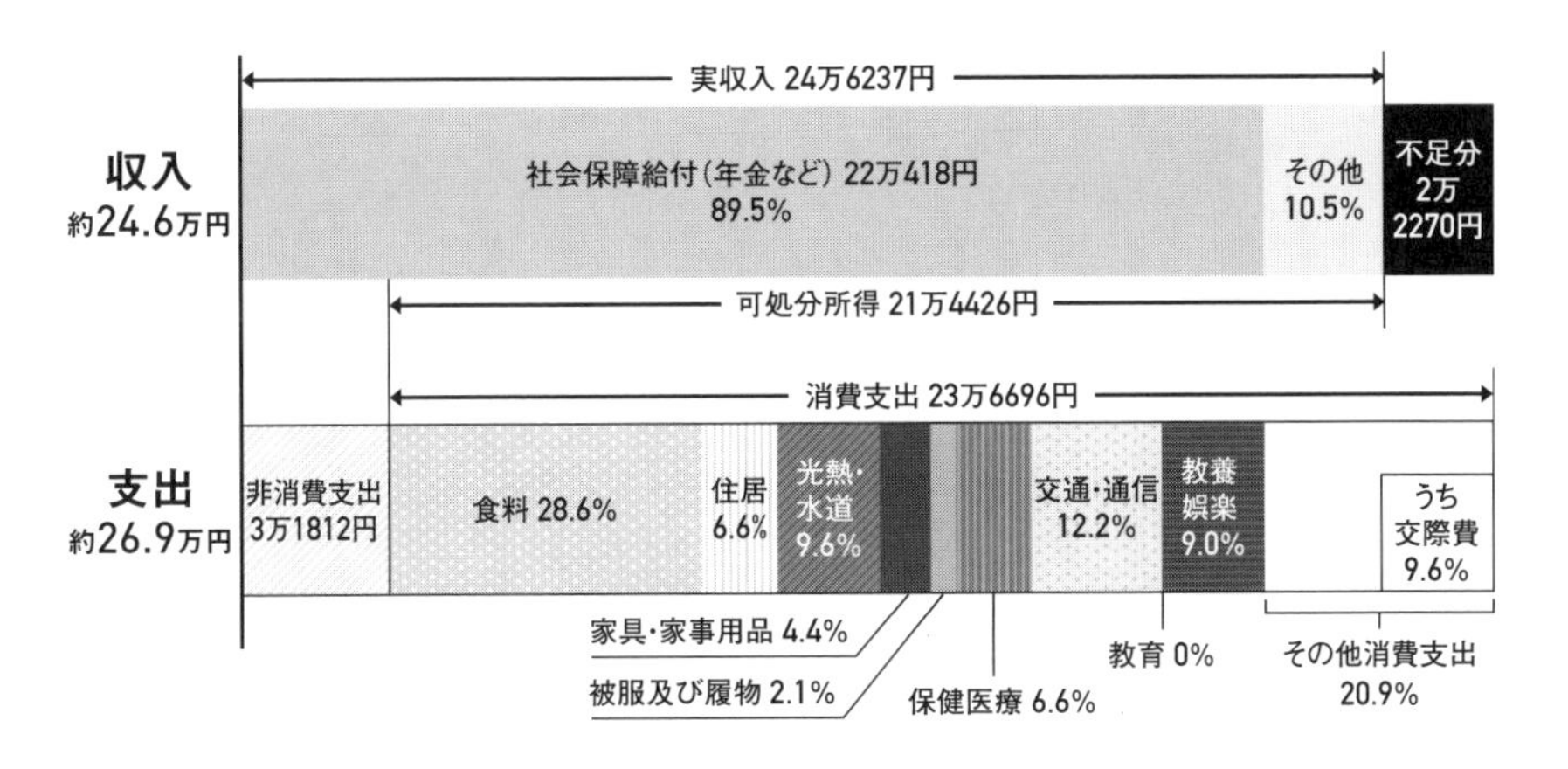

出所:総務省統計局「家計調査年報(家計収支編) 2022年(令和4年)」 https://www.stat.go.jp/data/kakei/2022np/

本章の初めでも述べましたが、老後の暮らしにかかるお金は、もろもろ含めておおよそ現役時代の7割程度といわれています。ですから、まずは自分の今の生活費が毎月どれくらいかかっているかを把握する必要があります。

まずは日常生活費。皆さん、**家計簿**はつけているでしょうか。そんな細かいこと！と思った人もいるかもしれませんが、限られた収入の中から安心できる老後資金をつくっていく上では、欠かせない作業です。

多くの場合、払っていることさえ忘れていた無駄な支出が幾つかあります。キャッシュレスでの支払いが日常化し、クレジットカードの支払い明細もサイトで確認しないと分からないようになっていますから、ほとんど利用していないのに支払い続けているサブスクリプション（定期購入・利用）サービスなどに気が付けないのです。もしこれに気付いて解約し、それを老後資金づくりの原資にすれば、生活の充実度をそれほど変えることなく**積立額が増やせます**。そして、現役時代の生活費を下げることは老後の暮らしでの無駄な支出を抑えることにもなりますから一石二鳥です。

人生を彩る、楽しむための費用

次に考えておくべきなのは、自己実現のための費用や一時的な出費です。これはいわば、**人生を楽しむための費用**です。しかしながら、これこそ恐らく最も人によって異なる部分かと思います。お金がかかる趣味を持っている人と、そうでない人とでは必要とする金額は大きく異なります。

前述の家計調査報告における65歳以上の無職世帯の支出内訳を金額ベースで見ると、「教養娯楽」の項目は**夫婦世帯で1カ月で約2万1000円、単身世帯では同1万4000円**となっています。勤労者世帯の教養娯楽項目の金額は世帯人数2人以上のケースで3万円程度ですから、現在と同程度で老後も趣味を楽しめる人は結構いそうです。

しかしながら、海外旅行に毎年行きたいとか、クルマを買い替えるのが好きという人であれば、その分のお金は年金だけでは賄えないでしょうから、そのための資金を準備しておく必要があります。

医療・介護にかかる費用は……

次に、老後といえば気がかりな医療や介護の費用について。いつ何時、病気になるかは誰にも分からないですし、できることなら介護のお世話にもなりたくないものの、そうなる可能性は否定できません。どうなるか分からないので、医療・介護費というのはなかなか〝見える化〟するのが難しい費用です。ただ、分からないと言っていても仕方がないので、現在の高齢者が実際に負担している金額を参考に見積もってみたいと思います。

医療費については、年齢が上がるにつれて増えるのはご想像の通りですが、自己負担額は現役時代に比べて大幅に少なくなります。それは、70歳以上は一定の年収以下の人であれば**自己負担率が3割ではなく2割や1割に下がります**し、一定額以上の自己負担額は払い戻してもらえる**高額療養費制度**という仕組みがあるからです。厚生労働省が2020年度に行った調査によると、年齢階段別の1人当たり医療費の自己負担額について、65歳から100歳まで35年間分を合計すると約270万円となっています。つまり、**300万円程度が一つの目安**と言えます。

介護については、生命保険文化センターの「生命保険に関する全国実態調査」（2021年度）によると、介護にかかった費用は平均月額8万3000円、介護期間の平均が5年1カ月、一時的にかかった費用の平均が74万円とあるので、総額を概算すると約580万円となります。介護する場所が施設の場合は、居住費・食費・日常生活費も含んでの金額となるため平均月額12万2000円と、在宅の場合の同4万8000円に比べてグンと高くなっています。もちろん入居する施設によっても異なりますし、介護期間や要介護度によっても大きく変わりますので参考値ですが、**500万円程度が一つの目安**です。

医療費と介護費を合わせると1人当たりざっと800万円、今後の負担増も考慮すると**1人当たりできれば900万円**。これを生活費とは別に、医療・介護の費用として準備しておけると安心だと思います。

④ 人生100年時代、最低限いくらの準備が必要か

老後に入ってくるお金が分かり、老後にかかるお金が分かれば、その差額が準備すべき金額ということになります。ただ、ここで一つ難しい課題が浮かび上がってきます。それは、**自分が何歳まで生きる分からない**、ということです。一時的にかかる費用はそれに足る額を準備すればいいのですが、日常生活費などは生きている限り必要です。そこで、継続的に支出する日常生活費が、継続的に入ってくる公的年金で賄えるのかどうか、収入と支出を突き合わせて確認していきます。

先に取り上げた家計調査（37ページの**図表1・5**）によれば、65歳以上の夫婦のみ無職世帯では月の支出額が26万8508円、収入額は24万6237円となっています。その収支の差が毎月の不足額ということになります。

もし家計収支が平均値並みであれば、毎月約2万2300円の不足ということは、65歳から90歳まで**25年間の不足額の累計は単純計算で約670万円**となります。つまり、会社からの退職金も企業年金も全くないということなら、少なくとも夫婦2人でこれくらいの

蓄えは、比較的健康に過ごせるとしても最低限必要ということになります。

公的年金の繰り下げ受給で長生きリスクを低減

これまでの老後のお金は、左ページの**図表1－6**の上段のように、公的年金では足りない部分を資産の取り崩しでカバーするという考え方が主流でした。しかしこれですと、老後資金を準備するに当たり、90歳まででいいのか、100歳まで見るのか迷います。もしかしたらもっと長生きするかも、という不安が残ります。

そんな不安をなくして、準備すべき金額を把握しやすい方法が実はあります。それは、日常生活費が賄える程度まで公的年金の受取額を増やすという方法です。公的年金は死ぬまでもらい続けられる終身年金であり、受け取り開始時期を原則の65歳から繰り下げると**支給月額が増える制度（繰り下げ受給）**があるので、これを活用するのです。

例えば、公的年金を厚生年金を含めて月15万円もらえる人が、受給開始を70歳まで5年繰り下げると月額（額面）は21万3000円まで増えます。月6万3000円、年間では75万6000円の増加です。多くの人は、これで日常生活費が賄えるのではないでしょうか。だとすれば、生きている以上必要となる日々の暮らしのために、資産が目減りして枯渇する心配はしなくて済みます。**図表1－6**の下段が「**人生100年時代**」**のパターン**です。こうすれば、いくら長生きしてもお金の面でのリスクはなくなり安心です。

図表 1-6 人生100年時代の老後資金計画のイメージ

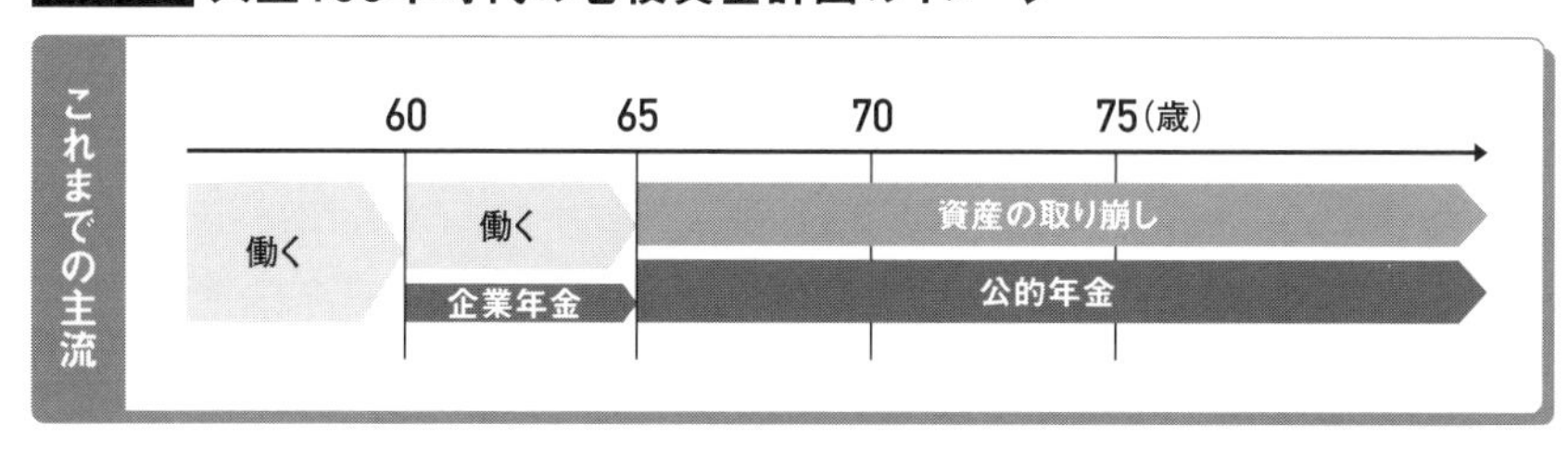

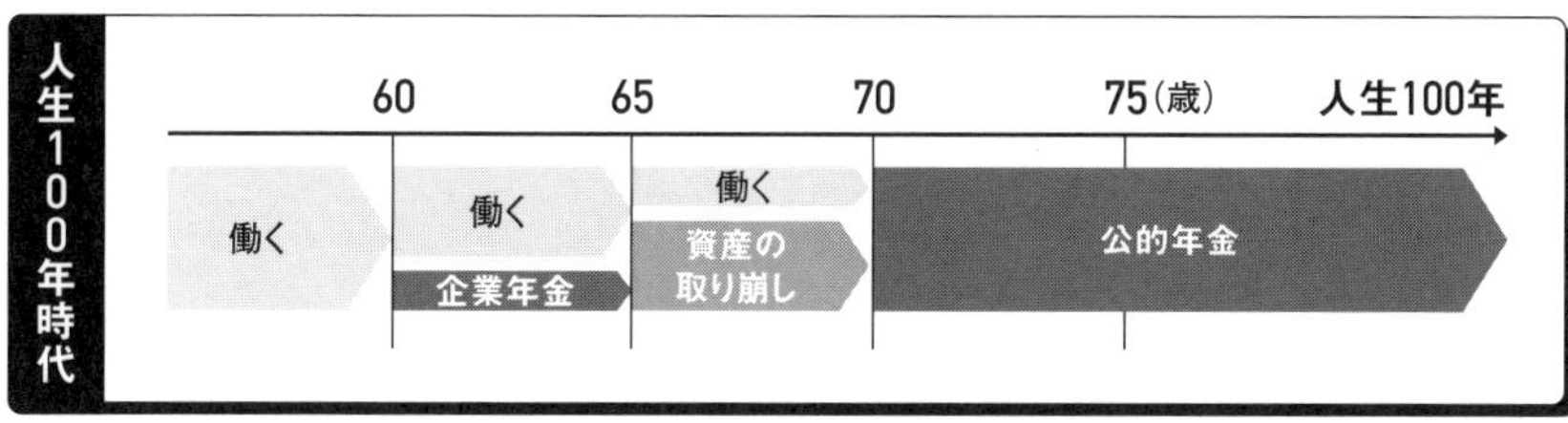

公的年金の繰り下げの仕組みは、受給開始を65歳から1カ月遅らせるごとに支給月額が0・7%増えます。**5年（60カ月）の繰り下げで42%増、10年（120カ月）では84%増**と倍近い金額にすることも可能です。30ページで紹介した公的年金シミュレーターを使えば、繰り下げた場合の額面金額だけでなく、税金や社会保険料を考慮した手取り概算額も簡単に把握できます。

公的年金受給開始までの生活費を準備する

しかしこの老後プランを実現するには、繰り下げている間に公的年金以外の収入が必要です。つまり、その間の生活費を賄えるだけの資産を準備できていることが前提となります。

例えば、公的年金の受け取り開始時期を70歳まで繰り下げれば、その後は公的年金だけで生活費がほぼ賄えるというのであれば、図の人生100年時代パターンのように、70歳までの生活費を、定年後も働いて得る収入、既にある老後に使っていい金融資産、そして今後準備する金融資産でカバーできるようにすればいいということになります。生活費を手当てしなければいけない期間が明確になることにより、**手当てすべき金額が確定し、自分で準備すべき金額も把握できます。**

ここまで確認すれば、ぼんやりしていた老後のお金がくっきりと見えて、「あと○万円くらいあると安心だ」ということになると思います。老後資金準備のための〝見える化〟の作業のポイントは、「ざっくり」でいいので、なるべく早く、できれば50歳までに行うことです。経済的な不安がなくなれば、働き方・趣味の楽しみ・住む場所といった、生き方や暮らし方の選択肢をグンと広げることができます

ＮＩＳＡとｉＤｅＣｏのそれぞれの特性を生かして、**両方とも利用するのが賢い老後資金準備の戦略**と言えます。

5 NISAとiDeCoの年齢別・職業別の生かし方

iDeCoは私的年金、すなわち公的年金を補完する目的で作られた制度だということは序章で述べた通りです。これに対して、NISAは投資で得た利益に対して税制優遇があるという制度です。

iDeCoが老後資金づくりのための制度であることははっきりしていますが、NISAは老後に限らず様々な資産形成の手段として利用できます。「安心老後」のための資金づくりの中で、実際のところNISAやiDeCoをどう使うべきか、色々な要素で答えが少し変わります。

年齢とともにウエートを変えながら併用する

老後のためのお金であれば、若い人もiDeCoを使って積み立てをしていくことが第一候補となります。それは、60歳まで引き出すことなく積み立てている間、**ずっと税メリ**

図表1-7 自由に使えるNISA。iDeCoは年齢に合わせて増額

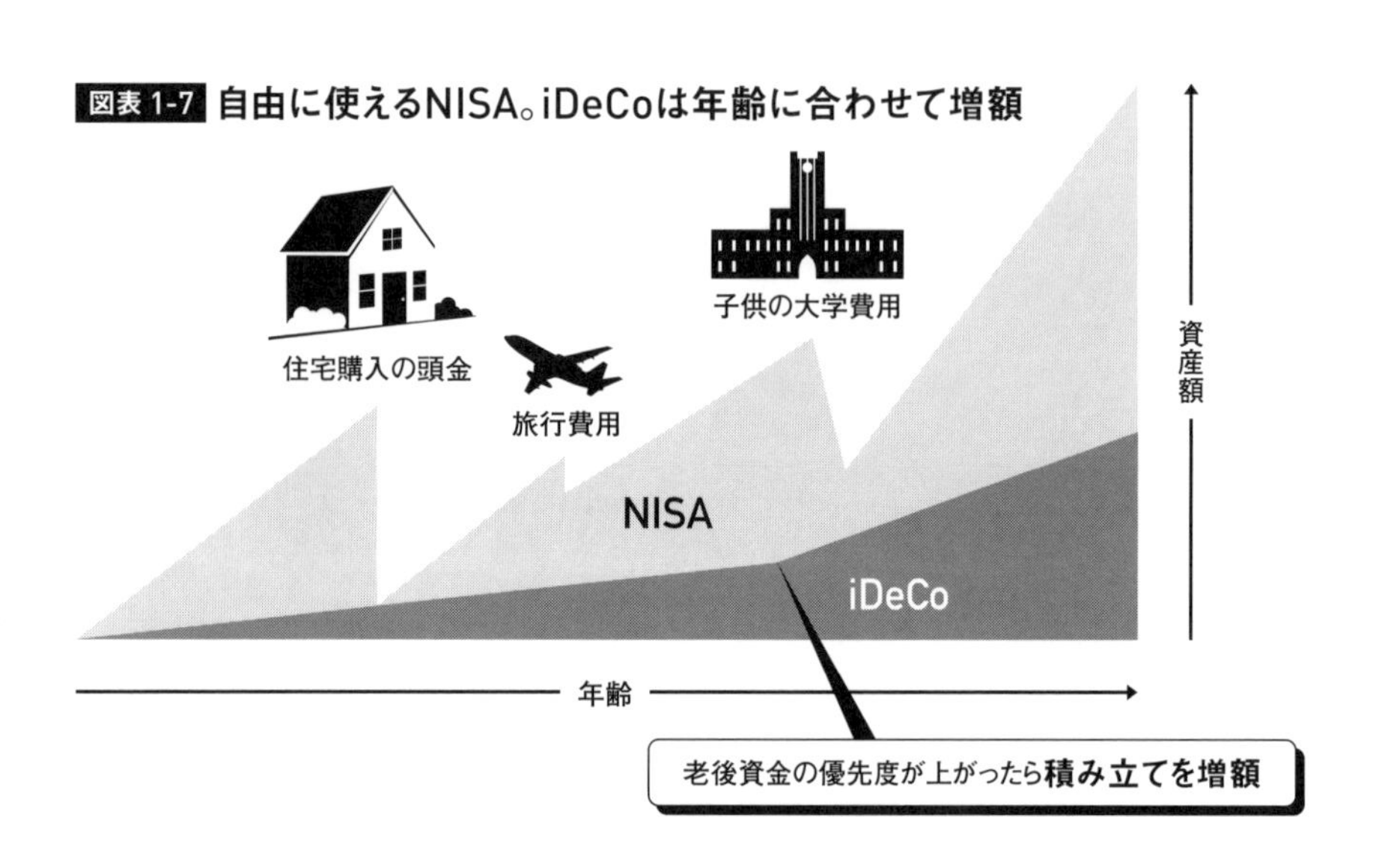

ットがあるからです。ただ、iDeCoは少額をコツコツと時間をかけて積み立てることでまとまった老後資金を準備する制度なので、例えば公務員であれば月額1万2000円まで、金額が最も大きな自営業者でも月額6万8000円までと、あまり大きな額は積み立てられません。

一方、NISAは2024年以降、**「つみたて投資枠」だけでも年間120万円**を積み立てられます。毎月目いっぱい積み立てるのであれば、月10万円もの金額を有利な投資に回せるわけです。さらに**「成長投資枠」（年間上限240万円）**では積み立てでもスポット（一括）でも購入可能ですから、50歳以降にゼロから老後資金準備を始めようという人であれば、少しまとまった金額を投入して**運用資産の規模を一気にキャッチアップ**していくことができます。

iDeCoを通じた老後資金準備と並行して、投資可能な範囲でNISAの投資枠を十分に活用して老後資金づくりを加速するのがお勧めです。

また若い20代や30代では、NISAにウエートを大きめに置いて、可能ならばiDeCoも併用することをお勧めします。なぜなら、NISAで投資した資産はいつでも引き出せるので、家を買う時には住宅取得の頭金に、子供が生まれれば教育費にと**自由に使うことが可能**だからです。そういうライフイベントがないまま60歳を迎えた場合も、その資産を老後資金として使えるので、いずれにしても有用です。若いうちは投資可能額の一部をiDeCoに回し、その後年齢が上がるなど老後資金準備の優先度が高くなってきたら、**iDeCoの積立額を上げていく**のがいいでしょう（右ページの**図表1‐7**参照）。

職業に応じた上手な活用法

次は、職業ごとの利用方法を考えてみます。60歳以降に入ってくるお金を表したのが、48ページの**図表1‐8**です。横軸が年齢、縦軸が入ってくるお金の種類とその金額イメージで、縦軸の項目が多いほど、そしてその項目の幅が太いほど老後の生活は楽になります。

【会社員・公務員の場合】

図の一番下の①の部分は、働いて得る収入です。最近では60歳で定年になった後も働く

図表 1-8 職業別の老後資金の種類と金額のイメージ

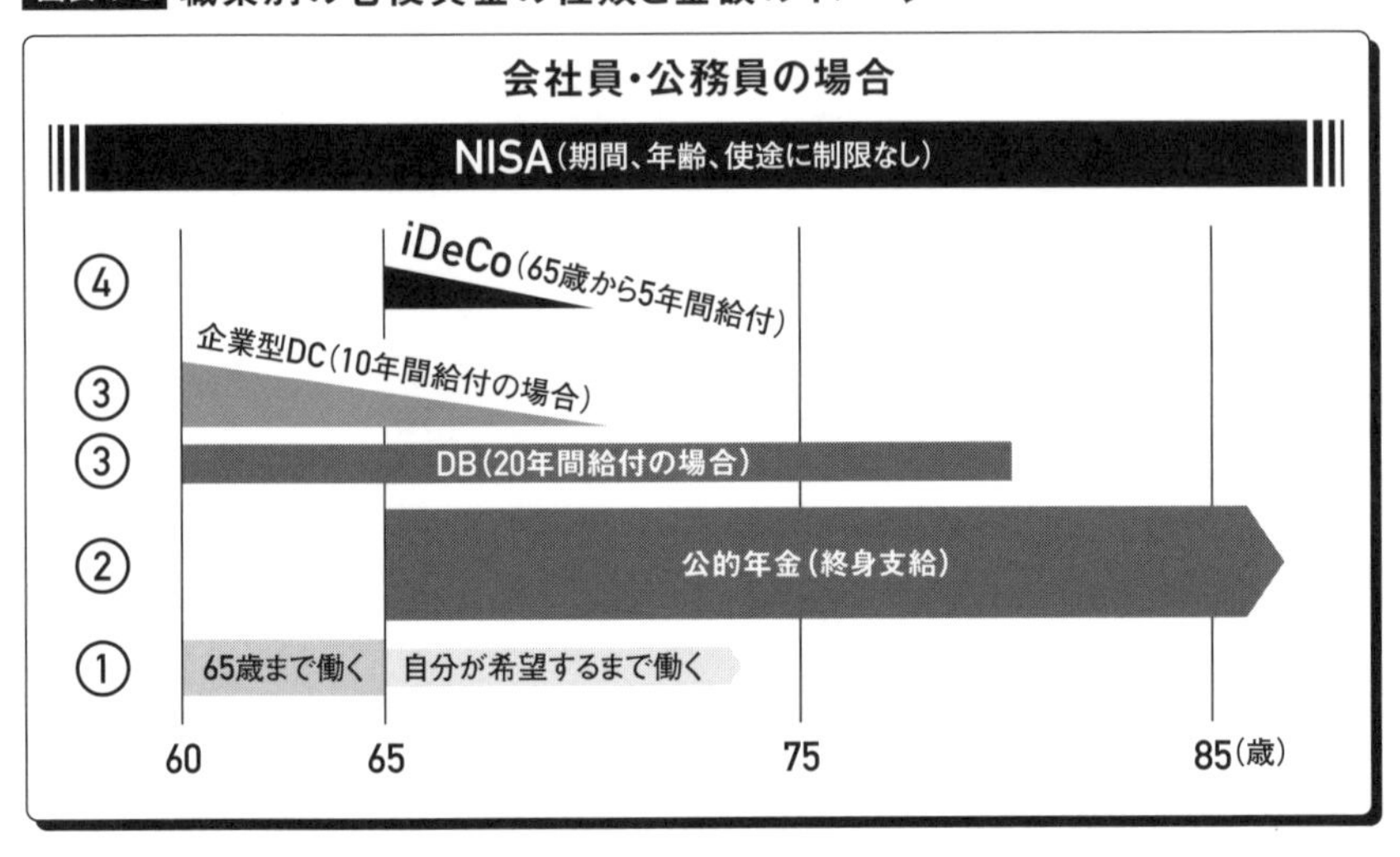

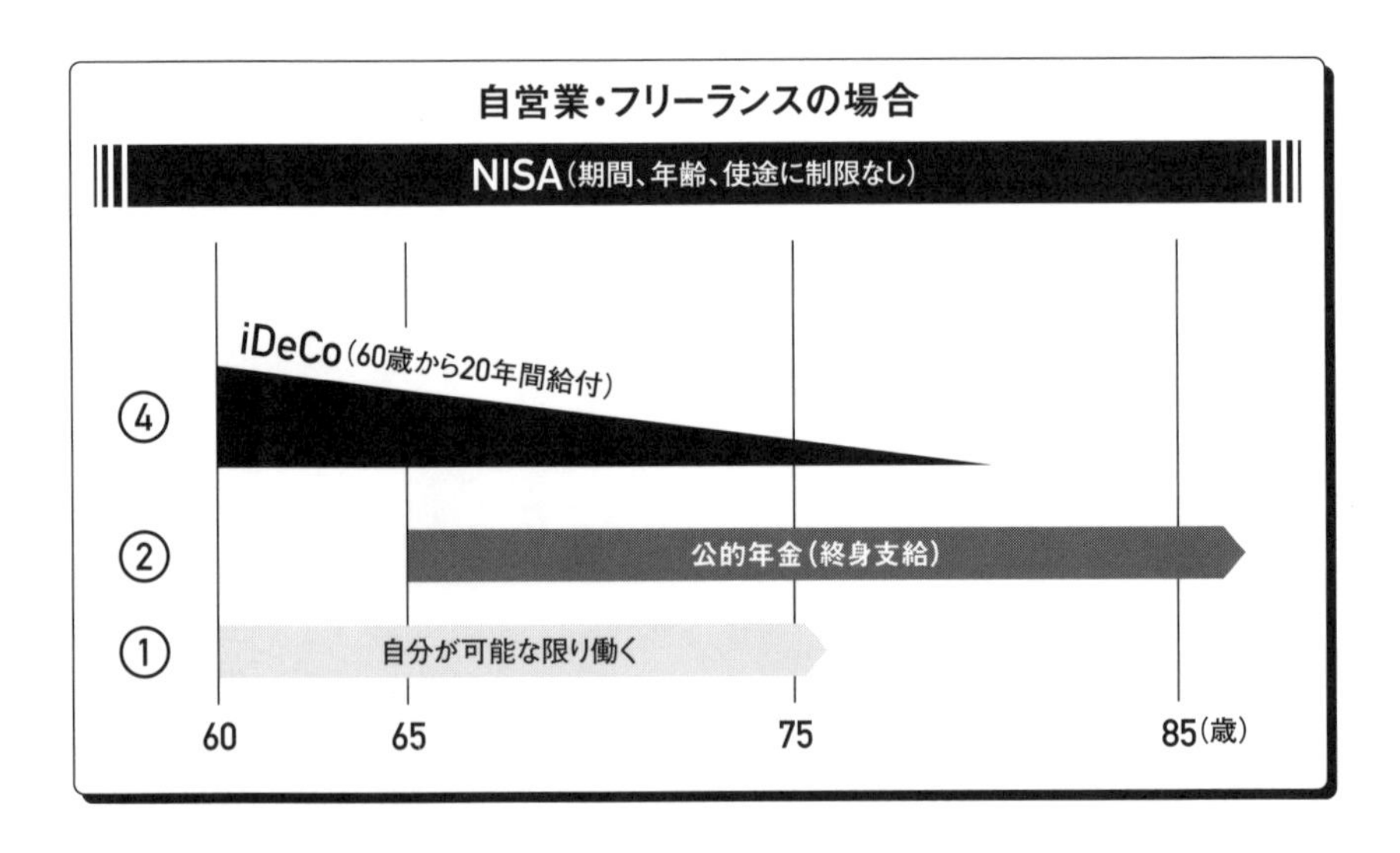

人の割合は8割以上ですから、労働収入も老後生活を支える柱の一つにはなるでしょう。

しかしながら、なんといっても最も頼りになるのは公的年金です。会社員の場合は厚生年金に加入しているので金額も多いですし、かつ公的年金は物価連動で終身支給ですから、これが**最大の柱になる**ことは間違いありません。これが②の部分です。

そして3つ目の柱が③の企業年金です。企業年金には給付額が確定している「確定給付企業年金（DB）」と呼ばれる制度と、iDeCoの企業版である「企業型確定拠出年金（企業型DC）」の2種類があります（本当はもう少し複雑で別な制度もあるのですが、大半はこの2つです）。この2つは**どちらかだけある会社、どちらもある会社、どちらもない会社の3パターン**になります。公務員の場合は、民間のDBに相当する「年金払い退職給付」というのが上乗せされます。

そして最後の柱である④がiDeCoになります。では、NISAはどこに該当するのか。前述の通り、NISAは必ずしも老後資金づくりだけを目的にした制度ではありません。従って、これらの制度とは若干離れたところに位置しており、必要に応じて**変幻自在に活躍してくれる助っ人**というイメージです。

これらを整理すると、何もしなくても確実に入ってくるのが②の公的年金です。①の「働くか、働かないか」はその人の自由、そして③は会社に制度があるかどうかなので自分では決められません。そうなると、①の働くという選択肢を除くと、自分で自由に決められるのは④のｉＤｅＣｏ、そしてＮＩＳＡということになりますね。

仮に、③の企業年金がない会社に勤めているのなら、ｉＤｅＣｏではなるべくたくさん積み立てておく必要があります。一方で、公務員や③の企業年金がとても手厚い会社に勤めている恵まれた人もいます。そういう人のｉＤｅＣｏの掛け金上限額は、公平性の観点から低く抑えられています。ですから、大きな老後資金を自分で準備したいと思うならば、**ＮＩＳＡも十分に活用して準備していく**べきでしょう。会社員はまず、自分の老後の資金地図がどうなっているのかを知ることが大事です。

【自営業・フリーランスの場合】

では続いて自営業・フリーランスの場合（**図表１‐８**の下段）を見てみましょう。会社員・公務員とはかなり違う図になります。①の働いて得る収入は、65歳以降も比較的継続して期待できます。自営業・フリーランスには定年がないので、健康に問題がない限りは**自分の裁量で働き続けられる**からです。

会社員・公務員との大きな違いは、まず②の公的年金が少ないことです。自営業・フリーランスの人は厚生年金に加入できないので、国民年金だけです。人によって金額は違いますが、大雑把に言うと**会社員の２分の１から３分の１程度**しか公的年金はありません。また当然ながら、③もありません。会社に勤めているわけではないので、「企業」と名の付く年金は受け取れません。

従って、自営業やフリーランスの人にとって**iDeCoは極めて重要な存在**になります。ですから、iDeCoの毎月の掛け金上限額は6万8000円と、会社員・公務員の3～5倍になっています。

さらに図には入れていませんが、自営業・フリーランスの場合は「国民年金基金」や「小規模企業共済」といった、自分で老後に備える制度が充実しています。国民年金基金は年金を終身でもらえるのが魅力ではありますが、加入時の金利がずっと適用されるので、1990年代前半の高金利時代には人気だったものの、最近は低金利のため新規加入者数は細る傾向にあります。**掛け金がiDeCoとの合算で月6万8000円まで**というルールもあり、個人的には、自分の判断で運用ができるiDeCoを優先して考えるのがいいと思います。

そして言うまでもなく、**NISAも自営業・フリーランスの人ほどしっかりと活用**し、資産を積み上げていくのがいいでしょう。先ほど、NISAは老後資金をつくっていく上では助っ人のような存在と書きましたが、この助っ人、なかなか頼もしい存在なのです。

NISAも活用して豊かな老後を目指す

さて、ここまでお話ししてくると、NISAとiDeCoの地図がどうなっているかはだいたいお分かりですよね。老後に向けた**私的年金としてのiDeCoが最も必要**なのは自営業・フリーランスの人、次に必要性が高いのは企業年金の制度がない会社に勤めている人ということになります。実際、2016年まではｉＤｅＣｏに加入できるのはこの2つのケースに該当する人だけでした。

最近では、公務員や専業主婦なども含め、現役世代のほぼすべての人がｉＤｅＣｏに加入できるようになっています。ただ、必要性に合わせて掛け金の上限額は設定されていますし、それほど大きな枠ではありません。**豊かな老後を目指す**というのであれば、ＮＩＳＡも大いに活用して、公的年金に上乗せするまとまった資金を準備していくことを考えるべきだと思います。

Chapter

2

始める前に知っておくべきこと NISA編

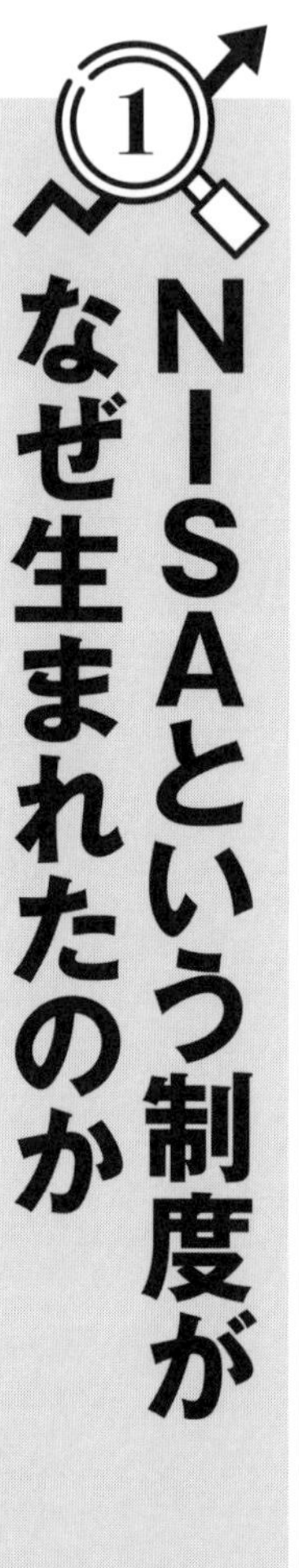

① NISAという制度がなぜ生まれたのか

ＮＩＳＡの目的と役割は序章で述べましたが、ここではまず、「そもそもなぜＮＩＳＡという制度が誕生したのか？」についてお話ししたいと思います。ＮＩＳＡの歴史を知ることに意味があるのか、と思われるかもしれませんが、制度が作られた背景とその思想を知ることで、自分がどうやってこの制度を有効に使うかというヒントになると思いますので、少し紹介しておきます。

「少額貯蓄非課税制度」と「少額投資非課税制度」

50代以下では多くの人がご存じないと思いますが、昔は銀行や郵便局などに預貯金をした場合に、元本３００万円までは利息に税金がかからない「**マル優（少額貯蓄非課税制度）**」というものがありました。この制度は１９８７年に原則廃止が決定され、現在では障害者や遺族年金の支給を受けている人などに限って、元本３５０万円まで利用できるようになっています。

同制度が始まったのは1963年ですから、まさに日本が高度成長の時代に入る頃です。まとまった資金を基幹産業へ回して企業を発展させることが、個人の所得を上げていくためにも不可欠でした。つまり、貯蓄という間接金融を通じた資金循環を奨励する必要がある時代だったのです。

このマル優の正式名称が「少額**貯蓄**非課税制度」であるのに対して、NISAは「少額**投資**非課税制度」ですから、これは文字通り貯蓄奨励ではなく**投資奨励策**と言っていいでしょう。では、なぜ投資奨励策が必要なのでしょうか。2000兆円もの豊富な金融資産を持つ個人の資金が十分に活用されていないため、投資を促進する施策が取られたというのはよく知られた話ですが、NISAが生まれた背景はもう少し複雑です。

「**貯蓄から投資へ**」の流れを生み出すべく、2003年に株式や投資信託といった有価証券の税制を複雑なものから預貯金並みの手軽さになるように見直し、損益通算を可能として、利益にかかる税率はすべて20%とすることが決まりました（これが現在の税制です）。ただし、投資をより促進するために5年間は**税率を10%に軽減**することとされました。当初は2008年までの時限措置だったのが、紆余曲折を経て結局は2013年までこの軽減税率が続くことになったのです。

英国の税制優遇制度を参考に

一方で、1999年に英国で「国民の貯蓄率の向上」を目的とした資産形成の税制優遇制度であるISA（アイサ）が始まりました。ISAは成人人口の約半数がその口座を保有し、**資産形成の手段として広く認知・利用**されるようになったことから、それを参考として日本版のISAを作ることが2009年から検討され始めました。

前述の軽減税率が2013年に終了するに当たり、その後に証券投資が冷え込んでしまうのを避けたいとの考えも背景にありました。こうして**2014年、日本版ISAの創設**によって一定金額までの投資利益に対する税制優遇制度が新たにスタートしました。それがNISAなのです。これはNippon版のISAであることから、その愛称がNISA（ニーサ）となったわけです。

英国のISAは、開始当初から非課税期間は永久に続くという仕組みでしたが、口座開設できる期間は当初10年間という期限がありました。ところが導入から一定期間を過ぎた後に、この制度が広く英国民に普及したこと、特に低所得者層や若年層に関しても普及していることから、制度自体が完全に恒久化されることになったのです。

このあたりの経緯はNISAとよく似ています。ただ、NISAは2014年にスタートした時は口座開設できる期間は10年間、さらに非課税期間は5年しかありませんでした。

その後、2016年に「ジュニアNISA（未成年者少額投資非課税制度）」が出来て、さらに2018年には**非課税期間が20年と大幅に拡大した「つみたてNISA」が誕生**しました。英国でも「ジュニアISA」とか、住宅購入支援策である「ヘルプ・トゥ・バイ」という制度のISAへの拡大といった具合に、新しいバリエーションが誕生したこともよく似ています。そして今回は英国同様、**利用期間も非課税期間も恒久化**された新しいNISAが2024年に誕生することになったのです。

全く新しいNISAに生まれ変わる

当初、これら複数のNISAの制度はいずれも2023年に口座開設期限が切れることから、金融庁は期限を延長した新しいNISAの制度をスタートさせると発表していました。ところが、初めに示されていた新しいNISAの案は、仕組みがかなり複雑なものでした。単純に期間の延長だけならそれほど複雑にはならなかったのですが、金融庁としては「積み立て投資による資産形成」を重視したいという考えがあり、何とかつみたてNISAへ誘導すべく無理に無理を重ねて制度を設計し、その結果として極めて分かりづらい仕組みになってしまっていたのです。

ところが、2022年の夏ごろからNISAの大胆な改革案が出てきました。詳細は次の節で詳しく述べますが、**極めてシンプルに、そして驚くほど税制優遇枠が拡大された制**

度に生まれ変わることになったのです。

当初の新NISA案が、言わば古い温泉旅館の建て増しのような複雑怪奇な代物であったのに対して、2024年から実際にスタートする新NISAは、今までの古い温泉旅館は完全に使用中止にして、代わりにしっかりとした柱が真っすぐに通った、宿泊数が大幅に増加したきれいな新館を建てたようなものです。

こうした方向に急きょ変わった背景には、岸田政権が提唱する「資産所得倍増プラン」の強い柱の一つとして、NISAの大幅拡充が盛り込まれたことがあります。**中間所得層が多く利用している実績**もあり、より使いやすい制度にすればもっと活用されるだろうということで期待を集めていました。私もこの資産所得倍増プランを検討する分科会の一員でしたので、そのあたりの雰囲気はよく実感しています。

NISA誕生の経緯から考える今後

本家である英国においては、制度が完全に恒久化された後に口座数も運用資産残高も大幅に拡大しました。当然、日本においても、非課税投資枠が拡大して期間も恒久化された新しいNISAを利用する人は大きく増えていくと考えられます。

貯蓄優遇策から投資優遇策へ変化してきた歴史は、国の成長戦略として投資という直接金融の仕組みが欠かせないと考えているということでしょう。成長が期待される企業や未来に必要とされる産業に直接的に多くの資金を流し、経済の活性化を図るとともに、**それを応援した個人の資産も増える。**そういう社会を作っていこうということです。

ＮＩＳＡは英国のＩＳＡを参考にして作られたと書きましたが、米国においては、401kプランやＩＲＡ（個人退職勘定）といった「投資に対する税制優遇の仕組み」が有効に活用され、個人のお金が投資に向かったことが**新しい成長企業を生み出すきっかけ**になりました。そして、その経済成長が個人の資産を増やすことにも大きく貢献したわけです。そういう意味では、リニューアルされたＮＩＳＡが多くの人の投資資金を呼び込み、個人の**長期的な資産形成の動きが拡大**していくことを強く期待しています。

②2024年、NISAが大幅リニューアル

さて、NISAがどういう目的と成り立ちだったのかをここまで述べてきましたが、この制度は2024年から大きくリニューアルされます。それも**大幅に使いやすくなる**のです。NISAがそもそも誕生した時の理念や狙いが、従来以上に実現できる仕組みになって「新装オープン」するという感じです。では、どこが変わったのかについて、これまでの制度と比較しつつ5つのポイントで説明します。

(1)制度を一本化

【2023年まで】

「一般NISA」「つみたてNISA」そして「ジュニアNISA」の3種類があり、それぞれが別の種類のものでした。特に利用者が多い「一般」と「つみたて」は両方を同時に利用することはできず、どちらか一方を選ばなければなりませんでした。

図表 2-1 2024年から大幅拡充され使い勝手が向上する新NISA

	従来NISA(2023年まで)		新NISA(2024年から)	
	つみたてNISA	一般NISA	つみたて投資枠	成長投資枠
年間投資可能額	40万円	120万円	120万円	240万円
非課税保有期間	最長20年間	最長5年間	無期限	
非課税保有限度額	最大800万円	最大600万円	最大1800万円(うち成長投資枠1200万円)	
投資枠の再利用	不可		可能	
枠の併用	不可(どちらか選択)		可能	
投資可能期間	2023年まで		無期限(恒久化)	
投資対象商品	要件を満たす投資信託、ETF	大半の株式、投資信託、ETF、REITなど	要件を満たす投資信託、ETF	要件を満たす株式、投資信託、ETF、REITなど

●年間投資可能額、非課税保有限度額は取得金額ベース
●2023年末までに従来NISAで投資した金額は、新NISAの保有限度額とは別枠で従来ルールに沿った非課税措置が適用される。非課税保有期間終了後に新NISA口座への移管(ロールオーバー)はできず、売却するか、課税口座に時価で移すことになる

【2024年から】

ジュニアＮＩＳＡは廃止され、一般ＮＩＳＡとつみたてＮＩＳＡは一つの新ＮＩＳＡとして統合されます。ただし、同じＮＩＳＡの中ですが、「**成長投資枠**」(従来の一般ＮＩＳＡと似たもの)と「**つみたて投資枠**」(つみたてＮＩＳＡとほぼ同じ)という2つの枠が設けられます。利用するのは1つのＮＩＳＡですから、**どちらの枠も同時に使えます**。従来の一般ＮＩＳＡとつみたてＮＩＳＡを併用できるようなものです。

(2)制度と非課税保有期間が恒久化

【2023年まで】

従来の3種類のＮＩＳＡは、いずれも

新規投資できる期間が2023年まででした。さらに非課税で利用できる期間は一般NISAが5年、つみたてNISAは20年と定められていました。一般NISAには5年間の非課税期間満了後、次の年の投資枠を使用して、非課税保有期間を延長する「ロールオーバー」が認められていました。

【2024年から】

新規投資期間も非課税で利用できる期間も定めがなくなり、**無期限**になりました。つまり、思い立った時に投資を始められるようになり、売却時も非課税期間を意識してマーケットを先読みしながら売り抜ける必要がなくなったのです。この恒久化によって、**真の長期投資による資産形成**が可能になります。

(3)年間の投資可能額が大幅拡大

【2023年まで】

一般NISAは投資可能額が年間120万円、つみたてNISAのそれは年間40万円でした。かつ、どちらか一方しか利用できないため、最大限投資するとしても年間の上限額は120万円でした。

【2024年から】

一般NISAが衣替えした「成長投資枠」は、投資可能額が**年間240万円**ですから従来の2倍。そして、つみたてNISAのリニューアル版である「つみたて投資枠」は**年間120万円**なので従来の3倍になります。さらに、新NISAではこの両方を利用できるので**合計すると年間360万円までの投資が可能**となり、年間の上限額は従来の3倍となります。

（4）非課税保有限度額が拡大

【2023年まで】

一般NISAは年間120万円で非課税期間が5年なので、最大限利用できる金額は600万円でした。一方、つみたてNISAは年間40万円で非課税期間が20年でしたから、最大利用限度額は800万円です。つまり、非課税で保有できる限度額は最大でも800万円（取得金額ベース）でした。

【2024年から】

制度の利用も非課税保有期間も恒久化されましたが、生涯で利用できる金額には上限があります。これが非課税保有限度額で、**取得金額ベースで1800万円**です。成長投資枠とつみたて投資枠の合計で1800万円。そのうち**成長投資枠としては1200万円が上限**となります。つみたて投資枠に上限は設けられていません。

（5）投資枠が翌年に復活

【2023年まで】

一般ＮＩＳＡもつみたてＮＩＳＡも、非課税期間の間に保有している株式や投資信託を売却した場合に、売却によって空いた投資枠を残りの非課税期間に再度使うことはできませんでした。

【2024年から】

制度自体が恒久化されたことにより、非課税保有限度額の範囲内であれば、資産を売却した分は翌年にその枠が復活して再利用が可能となります。この場合に復活する投資枠は、売却した資産の取得価格（簿価）相当、つまり取得金額ベースです。

例えば、左ページの**図表２‐２**のように、３００万円で取得（購入）した株式や投資信託が値上がりして時価評価額が５００万円になっていたとします。これを売却すると、翌年に非課税保有限度額に３００万円分の投資枠が復活します。これによって、資金ニーズがある際にためらいなく資産を売って役立てることができるので、従来のＮＩＳＡよりも使い勝手が格段に良くなります。

図表2-2 売却した分の投資枠が翌年に復活する新NISA

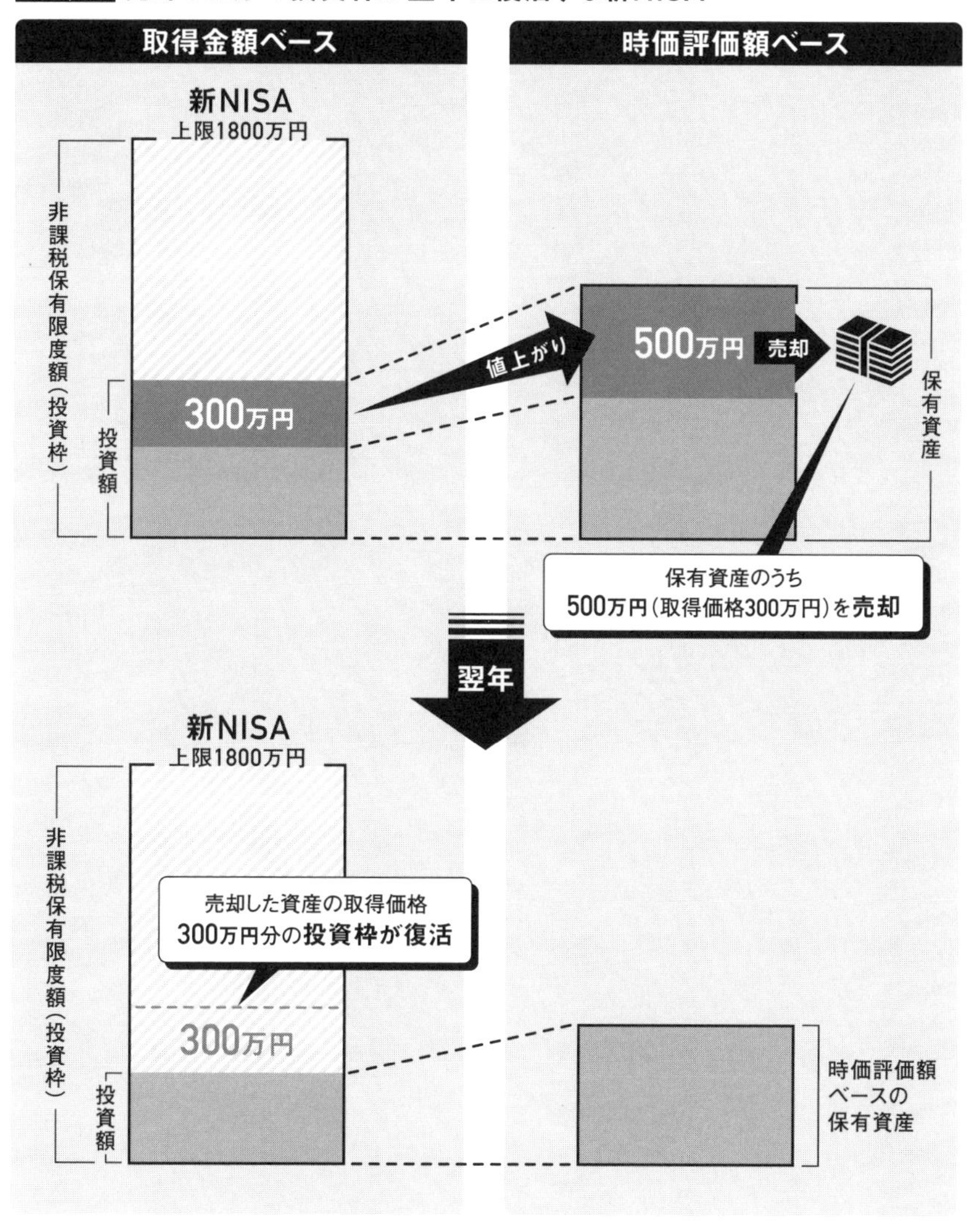

3 対象商品の絞り込みで、初心者も始めやすい

NISAは利益が非課税という大きなメリットがあるわけですから、投資する人が使わない手はないと思いますが、実はNISAにはもう一つ大きな特徴があります。それは投資初心者にとって安心感があり、そして使いやすい制度であるということです。NISAで投資を始める人が多いという前提に立って、**対象商品が長期投資において一定の合理性があるもの**に絞り込まれているのです。

長期の分散投資にふさわしい商品

2024年に始まる新NISAのつみたて投資枠の対象商品は、従来のつみたてNISAと同じです。「コストが低水準」「分配金を頻繁に支払わない」「幅広い投資対象の値動きを表す指数（インデックス）をベンチマークとする」など、**長期・積み立て・分散投資**に適した投資信託（公募株式投資信託）と、ETF（上場投資信託）に限定されています。

2023年9月15日時点で対象となる投資信託は243本と、日本で個人が購入可能な投資信託のうち**4%程度に厳選**されています。また対象のETFも8本だけです。新NISAのつみたて投資枠の対象商品は成長投資枠の対象商品に含まれるので、成長投資枠で購入することもできます。

そしてNISAは中長期の資産形成が目的ですから、制度の主旨に合った運用が行われるように、2024年以降はつみたて投資枠だけでなく、株式や投資信託など投資対象が幅広い成長投資枠についても、次の4つの条件が付くことになりました。

●整理・管理銘柄の株式は対象外

【理由】**上場廃止の可能性が高い株式**は長期投資に向いているとは言えません。

●信託期間（運用する期間）が20年未満の投資信託は対象外

【理由】信託期間が短い投資信託の多くは、いわゆる「テーマ型」と呼ばれるタイプで、一時的なブームによって設定され、**早期に償還されるものが多い**からです。

●ヘッジ目的など以外でデリバティブ取引による運用を行う投資信託は対象外

【理由】デリバティブ（金融派生商品）を使って**価格変動幅を何倍にもする**ようなタイプの投資信託は短期トレード向きだからです。

●毎月分配型の投資信託は対象外

【理由】分配金を毎月出すタイプの投資信託は、資産を取り崩しながら使う際には都合がいいでしょうが、配当を再投資する**複利効果**がないため資産形成には向きません。

2~4つ目の条件によって、成長投資枠の対象となる投資信託は公募投資信託全体の4割程度にまで絞り込まれる見込みです。

投資信託、ETF及びREIT(不動産投資信託)などの成長投資枠の対象商品については、運用会社などが要件に合致していると判断したものを**投資信託協会が取りまとめてホームページ上で公開**しています(**図表2-3**参照)。2023年中は毎月月初の平日と、12月19日に更新される予定です。

また、**金融情報サイト「ウエルスアドバイザー」も成長投資枠対象商品の一覧ページ**を設けています(70ページの**図表2-4**参照)。投資信託については運用会社やカテゴリー、レーティングでの絞り込み機能があり、さらにつみたて投資枠の対象商品も絞り込めるので、新NISAでの投資対象を検討するに便利です。

ただし実際に投資ができる商品は、要件に合致した投資信託や株式、ETFなどのすべてではなく、自分が**契約している金融機関が取り扱う商品**に限られます。例えば、銀行で

図表2-3 新NISAの成長投資枠の対象商品をチェック

投資信託協会 https://www.toushin.or.jp/
トップページ→「成長投資枠対象商品リスト」

■対象商品リストのエクセルファイルを取得・閲覧できる

	A	B	C	D	E
1	一般投資家向け成長投資枠対象商品リスト（2024年1月4日取扱開始非上場ファンド）				
2	リスト更新日	追加・変更の別	ファンド名称	運用会社名	設定日
3	20230621	追加	auスマート・ベーシック（安定）	auアセットマネジメント株式会社	20180919
4	20230621	追加	auスマート・ベーシック（安定成長）	auアセットマネジメント株式会社	20180919
5	20230621	追加	BNPパリバ・ブラジル・ファンド（株式型）	BNPパリバ・アセットマネジメント株式会社	20071116
6	20230621	追加	BNPパリバ・ブラジル・ファンド（バランス型）	BNPパリバ・アセットマネジメント株式会社	20071116
7	20230621	追加	JP4資産均等バランス	JP投信株式会社	20171018
8	20230621	追加	JP4資産バランスファンド　安定コース	JP投信株式会社	20160218
9	20230621	追加	JP4資産バランスファンド　安定成長コース	JP投信株式会社	20160218
10	20230621	追加	JP4資産バランスファンド　成長コース	JP投信株式会社	20160218
11	20230621	追加	JP日米バランスファンド	JP投信株式会社	20161027
12	20230621	追加	JPMアジア株・アクティブ・オープン	JPモルガン・アセット・マネジメント株式会社	19981130
13	20230621	追加	JPMグローバル・CB・オープン'95	JPモルガン・アセット・マネジメント株式会社	19950131
14	20230621	追加	JPMザ・ジャパン	JPモルガン・アセット・マネジメント株式会社	19991215
15	20230621	追加	JPMザ・ジャパン（年4回決算型）	JPモルガン・アセット・マネジメント株式会社	20171010
16	20230621	追加	JPMジャパンマイスター	JPモルガン・アセット・マネジメント株式会社	20130712
17	20230621	追加	JPM北米高配当・成長株ファンド（為替ヘッジなし、3ヵ月決算型）	JPモルガン・アセット・マネジメント株式会社	20130411
18	20230621	追加	JPM北米高配当・成長株ファンド（為替ヘッジなし、年2回決算型）	JPモルガン・アセット・マネジメント株式会社	20130411
19	20230621	追加	JPM北米高配当・成長株ファンド（米ドル対円ヘッジあり、3ヵ月決算型）	JPモルガン・アセット・マネジメント株式会社	20130411
20	20230621	追加	JPM北米高配当・成長株ファンド（米ドル対円ヘッジあり、年2回決算型）	JPモルガン・アセット・マネジメント株式会社	20130411

図表 2-4 ウエルスアドバイザーで新NISAの対象商品を検索

ウエルスアドバイザー　https://www.wealthadvisor.co.jp/
トップページ→「投資信託」→「ファンドを探す」→「新NISA成長投資枠対象からファンドを選ぶ」

は投資信託だけしか取り扱っていません。新NISAのつみたて投資枠は銀行で、成長投資枠は他の証券会社でといった契約はできないルールなので、株式やETFを買いたい、もしくは将来的に買うかもしれないという人であれば、**証券会社でNISA口座を開設**する必要があります。

また、投資信託も金融機関によって取り扱う商品が異なります。中には金融機関側の利幅が薄い一部のつみたてNISA対象商品は取り扱わないところもあるようです。ですから、契約前には取り扱い商品について必ず確認するのが大事です。

④ NISAを利用した方がいい人、しない方がいい人

長期的な資産形成を考える上では、「NISAを利用しない」という積極的な選択肢はないと思います。

NISAを利用した方がいい人とは

ですから、「NISAを利用した方がいい人」とは基本的に、投資に取り組んでいる人、それも**投資を通じて時間をかけて資産形成を**、と考えている人すべてです。とはいえ、投資にはほとんど興味がない、あるいは投資のことはよく分からないけれど、「税金が得だから」という理由で、何も考えずに投資を始めるのはお勧めできません。

税金が得というのは、あくまでも**利益が出た場合の話**です。利益が出なければ丸々損です。初めて投資にチャレンジして、たまたま値上がりして利益が出ることもあるかもしれません。一方で、始めた途端に値下がりが続くというのもあり得ない話ではありません。

通常の課税口座では、利益が出たものと損失が出たものの金額を相殺して、税金を少なくできる**「損益通算」**という仕組みがありますが、NISA口座は通算の対象外です。つまり、NISAを利用して損をした場合、利益が出ていないために運用益非課税のメリットを受けられず、**「ただ損しただけ」という状態**になります。

やや厳しいことを書きましたが、私はこの事実を知った上で、ぜひ皆さんにNISAのメリットを享受して資産形成を図ってほしいと考えています。投資初心者はぜひ、この後の4章、5章を読んで**負けない運用を実践**してください。

NISAを利用しない方がいい人とは

「利用しない方がいい」というよりは、NISAが取引スタイルに合わない人はいます。それは、デイトレーダーとかスイングトレーダーといった、**株式の短期売買を中心に投資**をする人です。大きな単位の金額を日々売買しながら、値ざやを抜いて利益を得ていく投資手法ですから、NISAの投資枠にはとうてい収まりませんし、損益通算を前提に値下がりした局面で売る「損切り」も行います。うまくいけば利益は大きいですが、損失の単位も桁が違います。

2024年からの新NISAは、売却した場合にその分の投資枠が復活するということで、「それなら短期売買でも利用できるじゃないか」と考える人が中にはいると思われますが、売った分の**枠が復活するのは翌年**です。例えば5月に売却したとすれば、その枠が再び使えるようになるのは年が明ける7カ月後なのです。これでは、機動的に売買するのは無理ですよね。

こうした投資手法だとＮＩＳＡの**年間の投資枠もすぐに使い切ってしまう**ので、運用益非課税のメリットを十分に生かせません。ですから、短期売買をベースとした運用をする人にＮＩＳＡは向いていません。短期売買はこれまで通り、課税口座で損益通算も活用しながら行うのが理にかなっています。

資産形成には時間がかかるのが普通

誤解のないように言っておきますが、私はこういう短期売買が悪いと言うつもりは全くありません。実際、短期売買を繰り返すことで大きな資産を築いた人を何人も知っています。ただ、そのためには大変な時間と労力が必要で、時には運も左右します。従って、普通に仕事をしている人が短期売買で利益を上げ続けて資産をつくることはかなり難しく、私はお勧めしませんし、ＮＩＳＡで想定されている資産形成の方法とは異なります。

〝普通の人〟が投資を通じて資産形成をする際に大事なのは、「**時間がかかる**」**そして**「**将**

来は常に不確実である」という大原則を正しく理解すること、次に少なくとも**基礎的な知識を身に付けておく**こと、最後に、価格変動に対して**そのリスクを許容するだけの覚悟を持つ**こと、です。その上で、長期投資をするなら税制面でメリットのあるＮＩＳＡという制度をぜひ活用していきましょう。

5 NISAを始めるにはどうすればいいか

初めてNISA口座を開設する際には、金融機関に証券総合口座、そしてその中に非課税のNISA口座を開設する手続きを行います。口座を開設したら、商品購入です。

つみたて投資枠で投資信託を積み立てる場合には、契約先で取り扱っている投資信託の中から1つまたは複数の商品を選んで、積立額と購入パターンを設定すればOKです。金融機関によっては、購入のタイミングを**毎月だけでなく、毎日や毎週、隔月、さらにはボーナス（賞与）の時期だけ**など、色々なパターンから選べるところもあります。

成長投資枠は、株式や投資信託などを**スポット（一括）でも積み立てでも購入が可能**です。スポット購入の場合は、買い付け注文をその都度出すことになります。

積み立てで購入する場合は、つみたて投資枠より対象がバラエティーに富んだ投資信託やETFを買えますし、株式についても売買単位（通常は100株）未満の株（**単元未満株**）を**積み立て方式で購入する買い方ができる**金融機関もあります。例えば、トヨタ自動

図表 2-5 新しいNISAの始め方

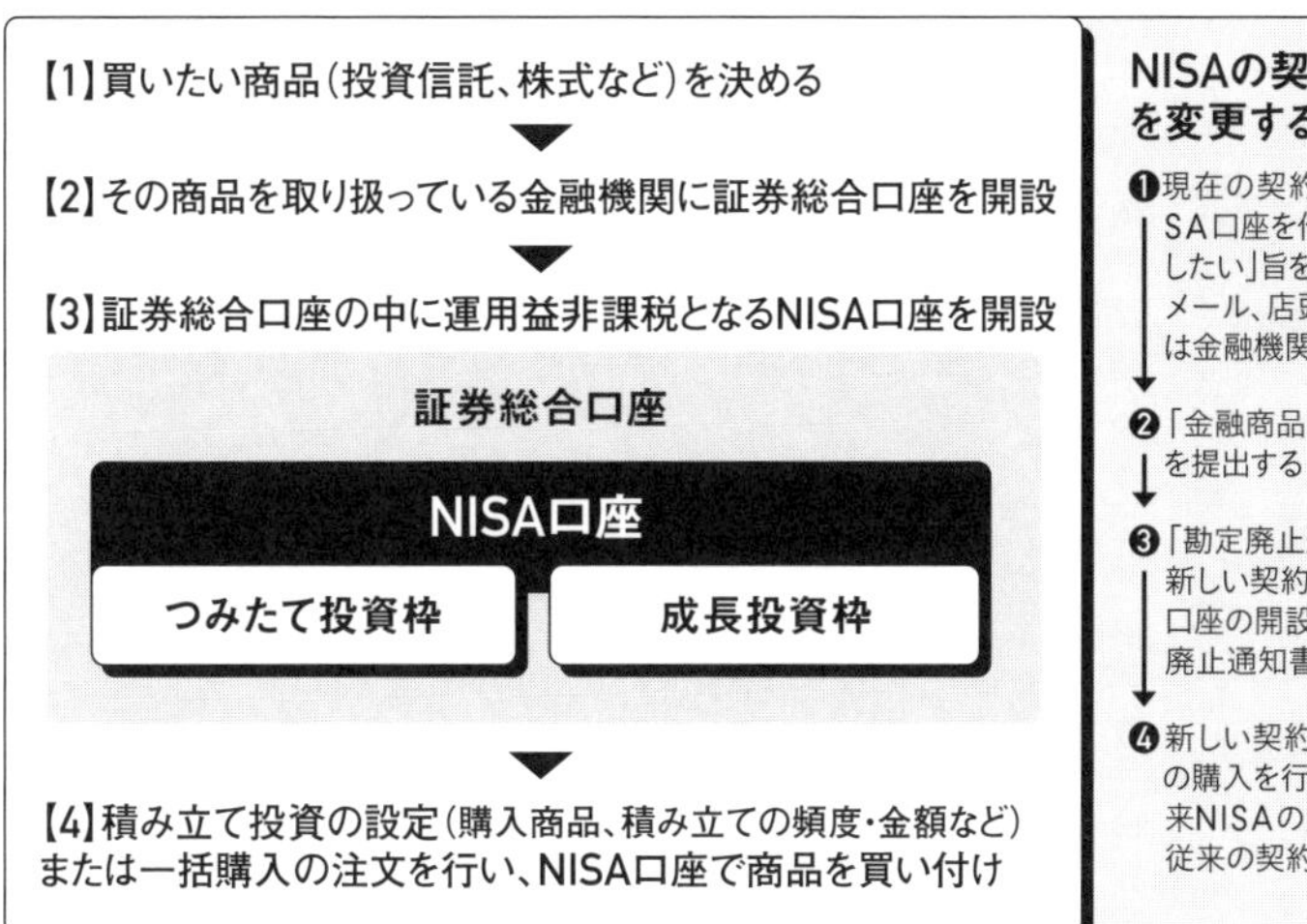

注）右側の「NISAの契約先金融機関を変更する場合」は従来NISAの口座に資産を残すケース

車（東証プライム・7203）の株価は2800円前後（2023年9月中旬時点）で、売買単位は100株なので、スポットで買う場合は約28万円の投資額が必要になります。しかし、単元未満株を積み立てで購入していく方法であれば、1万円程度で買える3株や4株を毎月購入することも可能です。

契約先の金融機関を決めるに当たっては、**購入したいと思っている商品**を取り扱っているかどうかが最も重要です。株式やETFは証券会社でしか取り扱っていませんし、中小の金融機関の中には、つみたて投資枠で買える対象商品のラインアップが乏しいところもありますので留意してください。

これまでNISAを利用していた人は……

既に従来の一般NISAやつみたてNISAを利用している人は、2024年からの新しいNISAの利用に当たって、NISA口座を新たに開設する必要はありません。従来のNISA口座が**自動的に新NISAの口座にアップデート**されるからです。ただし、契約先の金融機関を変更したい場合は手続きが必要です(77ページの**図表2-5**の右側参照)。

間違えてはいけないのは、従来NISAと新NISAとは全く別の制度なので、自動的に新しいNISA口座になるといっても、これまでのNISAの運用資産を**新NISAの口座に移す(移管する)ことはできません**。この点については、誤解されている人も多いようです。あくまでも、新NISAの口座には新しい資金を入れて、非課税で運用する資産を**ゼロから積み上げていく**ことになります。

2023年までのNISA口座で保有している株式や投資信託については、従来制度のルールに基づいて**非課税保有期間の終了まで**は引き続き運用が可能です。2024年からNISAの契約先金融機関を変更する場合にも、従来NISAの資産残高の運用や売却は従来の契約先金融機関で行うことになります。

6 資産の受け取りはいつでもできる

ＮＩＳＡの運用資産は**いつでも、いくらでも売却して受け取る**ことができます。1000万円といった高額でも、1万円といった少額でも問題ありません。

売却の注文方法は課税口座と同じで、売却したい株式（銘柄）や投資信託を選んで、売却する数量を指定すればＯＫです。このとき、株式であれば、現在の株価の付近でいくらでもいいから売りたい（**成り行き**）という注文方法の他に、〇〇円だったら売りたい（**指し値**）という注文方法が可能です。

一方、投資信託については**指し値での注文はできません。**どうも株式の注文イメージでもって誤解している人が割と多いようなのですが、投資信託は買い付けも売却も注文を出した段階ではいくらで買えるか、売れるかが分からない金融商品です。

投資信託の価格、正確には「基準価額」というのは、株式市場などの取引時間中に刻々と変わるものではありません。一日の取引が終わった後に、投資信託が保有している資産について、その日の株式や債券などの取引終了時点での価格から資産総額を計算し、一口当たりの価格を算出します。つまり**一日1回、取引後にしか価格は付かない**のです。そんな仕組みの商品なので、おうような心持ちで付き合う必要があります。

何回かに分けて売却するのもいい手

投資信託を積み立てのみで買っている人は、買い付けを金融機関に〝お任せ〟しているだけに、日々の値動きに**一喜一憂せずに運用を継続しやすい**傾向にあります。ただ、売却するとなると、明日の方が値上がりして利益が多くなるのではないか、などと気になって、なかなか注文できないかもしれません。

そんな場合の対策としては、まずは少額で、そして何回かに分けて必要な金額を売却してはいかがでしょうか。1回当たりの金額が少なくなることで**精神的な負担が減り**、タイミングを分散することで**相場の変動リスクを抑える**こともできます。

繰り返しますが、NISAの運用益非課税というメリットは、利益が出てこそです。損をした場合にその恩恵は得られませんし、他で得た利益との損益通算もできません。ライフイベントでどうしても資金が要るなら仕方ありませんが、できれば**利益が出るまでじっくり待って売却**するのがお勧めです。

7 新NISAに関する「10の誤解」

2024年から始まる新しいNISAに、5つの大きなポイントがあるというのは本章で説明した通りですが、私のところに寄せられる様々な人からの質問を見ていると、案外、多くの誤解があるようです。そこで、よくある新NISAに関する誤解について、あらためて10項目を挙げて解説していきます。

誤解1 積み立て投資は年間120万円しかできない

新NISAでは、つみたて投資枠と成長投資枠の2つが設けられ、前者の利用限度額が年間120万円となります。これを見て、「積み立て投資が年間120万円しかできないのか？」と思う人が多いようなのですが、これは勘違いです。つみたて投資枠は年間120万円ですが、**成長投資枠を使って積み立てをしても構いません**。ですから、年間投資可能額の360万円をすべて積み立て投資に使ってもいいのです。

誤解❷

つみたて投資枠での投資は、毎月積み立てないといけない

そんなことはありません。**最低、年2回積み立てればOK**です。これは現在のつみたてNISAでも同じです。従って毎月ではなく、年2回のボーナス時期だけの積み立てということも可能です。

買い付けるタイミングの分散ということで毎日積み立てができる金融機関もありますが、日本経済新聞の編集委員である田村正之さんの分析によると、2022年末までの過去10年間では毎日と毎月の買い付けで運用結果は大差がないとのことです。給与所得者であれば、給料の中から毎月積み立てていくのが資金フローと合っていると思われ、利用しやすいのではないでしょうか。

誤解❸

保有資産が値上がりしたら、限度額の1800万円を超えてしまう

新NISAの非課税保有限度額は、保有資産の**取得金額ベースの累計額（簿価）が1800万円を超えていないかどうか**をチェックするので、購入後に資産が値上がりして時価評価額が1800万円を超えても、問題なく非課税での運用を継続できます。

誤解❹

非課税保有限度額が生涯で1800万円。うち成長投資枠が1200万円ということは、つみたて投資枠は600万円しか使えない

いいえ、**つみたて投資枠で1800万円を使うことができます**。例えば、毎月5万円の積み立てを30年間続ければ、取得金額ベースで1800万円に達します。非課税保有限度額のうち、成長投資枠だけに1200万円の上限が定められているのは、新NISAではつみたて投資枠を使ってコツコツと資産形成することが原則的な使い方だからです。

誤解❺

資産を500万円分売れば、投資枠も500万円分復活する

これもありがちな誤解ですが、非課税保有限度額はあくまでも取得金額ベースで管理されます。ですから、例えば300万円で買って500万円に値上がりした資産を売却した場合、翌年には、**売却した資産の取得価格である300万円分の投資枠が復活**することになります。

誤解6

500万円分売れば、翌年はその金額が投資できる

投資枠として翌年に復活するのは、売却した資産の取得価格分です。売却した資産の取得価格が500万円だとすると、翌年に500万円分の投資枠が復活します。

しかしながら、年間投資額はつみたて投資枠で120万円、成長投資枠で240万円が限度ですから、両方を利用したとしても**年間での投資可能額は360万円**です。投資枠が500万円分復活したからといって、500万円を投資できるわけではありません。ここにも、焦らずに長期目線で資産形成してほしいという制度の意図が感じられます。

誤解7

売却して投資枠が復活するのなら、非課税のままで運用商品を乗り換えられる

投資枠が復活するのは資産を売却した翌年です。売却で得た資金をすぐに他の購入資金として使って商品を乗り換えることは、その年の**投資枠が残っている範囲なら可能ですが、その範囲に収まらなければ乗り換えられません。**

また、年をまたいで枠が復活する場合でも、例えば取得価格が300万円だった投資信託を500万円で売却し、その資金をそのまま翌年の購入に充てようとしても、年間投資

可能額の範囲に収まりません。加えて、非課税保有限度額1800万円という条件に引っかかり、その年に投資できる枠がもともと360万円より小さい場合は、やはりその範囲でしか購入ができません。

新しいNISAは年間投資可能額が大きくなったので、売ると同時に新たな資金を使って買い付ければ即時乗り換えに近いことができるケースもあるとは思いますが、長期で保有できる商品を選び、**じっくりと資産形成するのがNISAの基本的な利用法**です。

誤解8

2023年にNISAを使うと、その分が2024年以降のNISAの投資枠から減ってしまう

従来NISAと新NISAは全くの別物です。投資の限度額や非課税期間などはそれぞれのルールの下で管理されます。ですから、2023年に従来NISAで投資したとしても、2024年以降の新NISAの**非課税保有限度額からその分が差し引かれることはなく、**ゼロから始めて1800万円（取得金額ベース）まで利用できます。

誤解❾

従来NISAの非課税保有期間が終了したら、その保有資産を新しいNISAに移せる

いいえ、移せません。新NISAは従来NISAとは異なるルールで運営される別の制度です。従って、2023年までのNISA口座で持っていた商品を**新NISA口座に移管することはできません。**

一般NISAであれば5年間、つみたてNISAであれば20年間の非課税保有期間の中で、売却して新NISAであらためて購入する、あるいは非課税保有期間の終了後に、課税口座にその時点の時価で移すことになります。

誤解❿

新NISAでまた口座開設などの手続きが面倒そう

これまでにNISA口座を持っている場合は、2024年になると**同じ金融機関で自動的に新NISAの口座が開設**され、利用できるようになります。マイナンバーなどを提出して新たに口座開設の手続きをする必要はありません。

一方、従来のNISAの契約先と新NISAの**契約先を変えることも可能**なので、契約先金融機関を2024年から変更したいと考えている場合には、契約先変更のための手続

きが必要です。手続きの内容は、現在のNISA口座にある保有資産をそのまま同口座に置いておき、新たな契約先の口座との2つのNISA口座で運用を継続するか、または現在の保有資産は売却または課税口座に移して従来NISAの口座は終了し、新しいNISA口座だけにするかによって異なります。

詳しい契約先変更の手続きについては、208ページのQ&Aのコーナーで解説していますので、そちらを参照してください。

Chapter

3

始める前に
知っておくべきこと
iDeCo編

①iDeCoに加入できるのはいつからいつまで？

iDeCoは、公的年金や会社の年金を補完する老後資金を自ら準備する制度です。**iDeCoに加入する**ということは、iDeCoで投資信託や定期預金などの**積み立てを行うこと**を意味します。現在のiDeCoの加入要件は、国民年金被保険者である、つまり**国民年金の保険料を払っていることだけ**です。

国民年金保険料の納付方法は働き方によって異なり、会社員や公務員など（**第2号被保険者**）は給与や賞与（ボーナス）から厚生年金保険料の中に含まれて天引きされています。また、その配偶者として**第3号被保険者**（専業主婦・主夫）の人は、国民年金保険料を納めている者として扱われるのでiDeCoに加入可能です。自営業やフリーランス、無職の人（**第1号被保険者**）は国民年金保険料を自ら納める必要があり、免除・猶予などを受けずに保険料を納付している間、iDeCoにも加入できます。

60歳以上でもiDeCoに加入できる場合

図表3-1 iDeCoに加入できるのは国民年金の被保険者

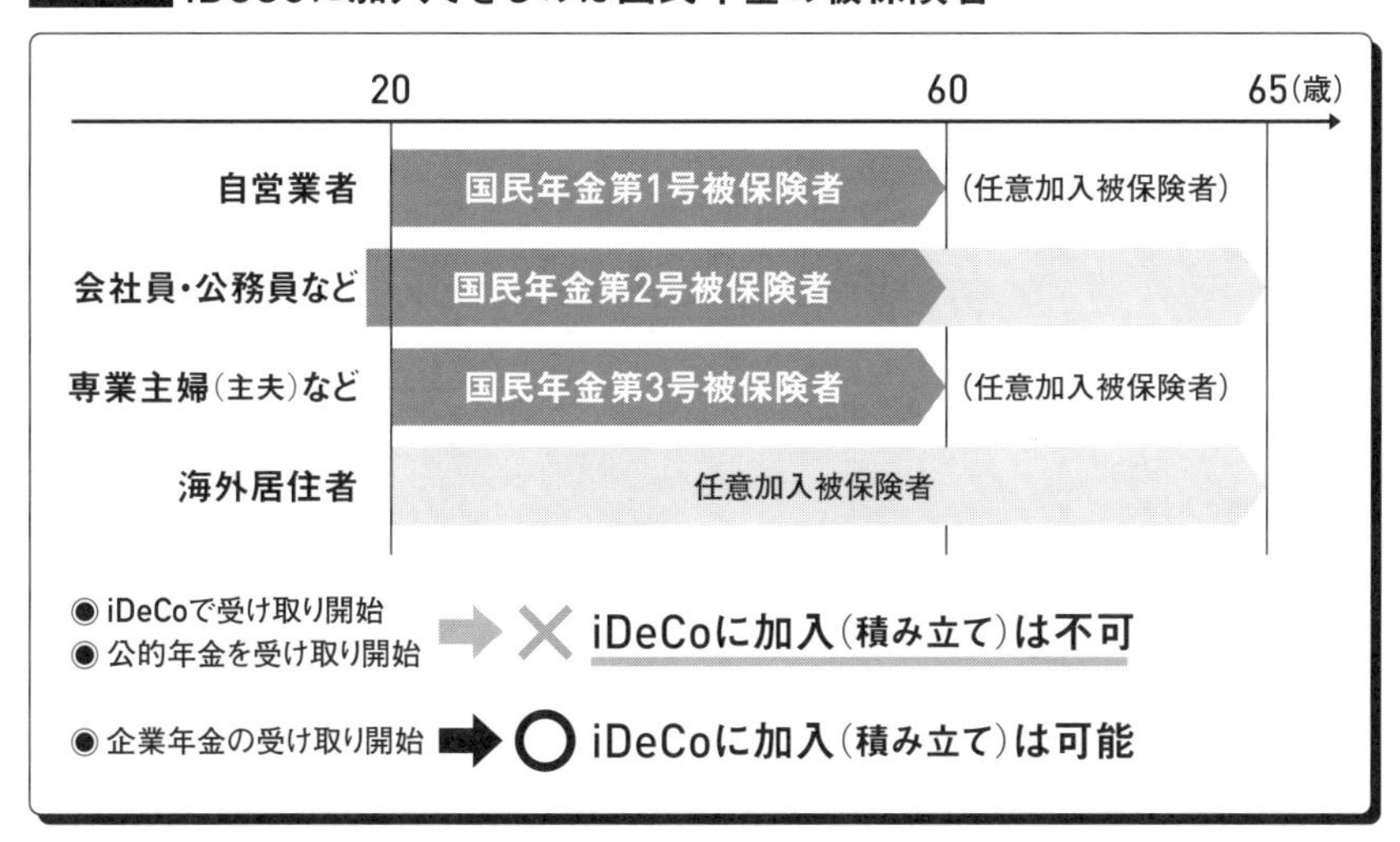

国民年金保険料の納付は、原則は20歳以上60歳未満ですから、iDeCoも原則は20歳から60歳まで加入可能なのですが、60歳以上でも国民年金に加入している場合は、**最長65歳までiDeCoにも加入**できます。

例えば、会社員や公務員の場合、60歳以降も短時間勤務のように大きく処遇を変えた働き方でなければ、**厚生年金被保険者として**引き続き給与やボーナスから厚生年金保険料が天引きされます。つまり、国民年金保険料を納めていることになります。このように60歳以降も厚生年金保険料を徴収されるような働き方を続けている場合は、65歳までiDeCoに加入して積み立てを続けられます。

第3号被保険者は本人が60歳になると、第2号被保険者(65歳未満の給与所得者)

に扶養されている配偶者としての資格を失い、国民年金被保険者としての資格も喪失します。また自営業やフリーランス、無職の人も60歳になると国民年金を納める義務がなくなり、保険料の納付が終了して国民年金被保険者ではなくなります。このように、原則は60歳に達して国民年金被保険者の資格を喪失するのですが、会社員や公務員が60歳以降も働き続けて厚生年金に加入する場合は、65歳まで国民年金被保険者であることが可能です。

またこれとは別に、**国民年金に「任意加入」**する場合もｉＤｅＣｏに加入できます。任意加入とは、60歳までに国民年金保険料の納付期間が40年に達していない場合に、納付期間を延ばすことで国民年金としてもらえる金額を増やすため、義務としてではなく**本人の申し出によって保険料を払う制度**です。この任意加入をしている間は、ｉＤｅＣｏにも加入可能です。ただし、ｉＤｅＣｏの加入資格を一旦喪失してるので、国民年金に任意加入していること、ｉＤｅＣｏにも加入したい旨を申し出ることで加入資格を復活させる手続きが必要となります。

任意加入によってｉＤｅＣｏに加入できるケースは、実はもう一つあります。**海外に居住する20歳以上65歳未満の人**も、日本に将来戻ってきて国民年金を受け取るために、国民年金に任意加入ができます。ＮＩＳＡは海外居住者になると利用に色々と支障が出ますが、ｉＤｅＣｏの方は海外勤務の間も、厚生年金被保険者や国民年金の任意加入者であれば積み立てが可能です。そして、国内居住者と税の取り扱いは異なりますが、**海外居住のまま**

受け取ることもできます。

受け取りながらの加入はできない

昨今は60歳以降も働くのが当たり前になってきているので、60代前半は**老後資金準備のラストスパートの期間**として、iDeCoにも継続加入していただきたいです。ただし、公的年金を繰り上げて受け取ったり、iDeCoの受け取り申請をしたりすると、そこからはiDeCoに加入して積み立てを続けることができません。

受け取りについては後ほど解説しますが、受取時には税制優遇があります。そして、iDeCoは積立時にも税制優遇があります。老後資金をつくる側と受け取る側、2つの立場での優遇措置を同時に受けることはできませんから、**国の制度で年金を受け取るとiDeCoに加入できなくなる**というわけです。

ただし、受け取っても60歳以降のiDeCoの加入に関係がない年金もあります。それは、勤め先の制度である**確定給付企業年金（DB）や企業型確定拠出年金（企業型DC）**と、特別支給の老齢厚生年金（指定された年齢から受け取る場合）です。

受け取ってしまったら加入できないというのは、公的年金そしてiDeCoの話です。逆に、加入を継続している人が受け取りを始めることもできません。例えば、60歳以降も

ｉＤｅＣｏの加入資格があって加入を継続している人が、運用資産を受け取り始めたいと思う場合は、**積み立てを終了（加入資格を喪失）する手続きを取ってから**でないと、受け取りのための手続きができません。会社員や公務員として働いている人は60歳になっても働き続ければ加入資格を喪失しないので、65歳より前に受け取りたいというような場合は、受け取り手続きの前に加入資格を喪失する手続きが必要になります。

② 働き方によって異なるiDeCoの拠出限度額

iDeCoでの積み立ては**月額5000円以上、1000円単位**となっています。そして積立可能額は職業（加入する公的年金の種類）や勤務先の年金制度の内容に合わせて限度額が決められていて、働き方などによって月額上限が最少1万2000円から最大6万8000円までと幅があります。

公的年金というのは、働き方によって加入できる制度が違い、受取額も大きく異なります。会社員や公務員といった勤め人は、国民年金の第2号被保険者として**国民年金と厚生年金の2つに加入**するルールになっています。この2つを合わせた厚生年金保険料を支払い、65歳以降に受け取る公的年金も国民年金と厚生年金の2つになります。

仮に20歳から60歳までの報酬がボーナスも含めた月額換算で平均43・9万円の場合、2つを合わせた公的年金の受取月額は約16万円（2023年度新規裁定者ベース）になります。夫婦共働きで同じ程度の収入であれば、これがダブルで入ってくることになります。

一方、自営業やフリーランスの人は、国民年金の第1号被保険者として公的年金は**国民**

年金だけに加入するルールなので、受け取れるのも国民年金だけとなり、国民年金保険料を40年間払った場合でも月額約6万6000万円（2023年度新規裁定者ベース）と大幅に少なくなります。加えて、勤め人のように定年退職時に退職金などが会社からもらえるわけでもないので、**自分で公的年金に上乗せする老後資金をより多く準備**しておく必要があります。

また、勤務先の年金制度も千差万別で、非常に手厚い金額が用意されるケースもあれば、そうでないケースもあります。こういった実情を踏まえて、老後に向けた資産形成機会の公平さを図るため、**公的年金や勤務先から受け取れる年金制度の充実度**に合わせて、上乗せするiDeCoの掛け金の拠出限度額が決まる仕組みになっているのです。

拠出限度額は左ページの**図表3‐2**のように、自営業者やフリーランス（国民年金第1号被保険者）は**月額6万8000円**、企業型DCやDBなどの企業年金制度がない会社員と、専業主婦・主夫（国民年金第3号被保険者）は**月額2万3000円**、企業年金がDBなどのみの会社員や公務員は**月額1万2000円**となります。

勤務先に企業型DCがある場合はやや複雑

少し複雑なのが、iDeCoの企業版の制度である**企業型DCが勤務先にある場合**です。

図表 3-2 iDeCoの拠出限度額は職業、企業年金制度により異なる

被保険者の区分	iDeCo掛け金の拠出限度額（月額）
自営業者やフリーランスの**国民年金第1号被保険者**	**6万8000円**※
会社員や公務員の**国民年金第2号被保険者**	企業年金の有無・内容によって下記の4タイプに分かれる
①**企業型DCのみ**に加入	以下のいずれか少ない方の金額 **・2万円** **・5万5000円－企業型DCの事業主掛け金**
②**企業型DCとDBなど**に共に加入	以下のいずれか少ない方の金額 **・1万2000円** **・2万7500円－企業型DCの事業主掛け金**
③**DBなどのみ**に加入（公務員を含む）	**1万2000円**※
④企業型DC、DBなどに**加入していない**	**2万3000円**※
専業主婦（主夫）の**国民年金第3号被保険者**	**2万3000円**※

●企業型DC＝企業型確定拠出年金
●DBなど＝確定給付企業年金（DB）、厚生年金基金、公務員の年金払い退職給付、私立学校教職員共済、石炭鉱業年金基金
●※＝iDeCoの掛け金を毎月定額ではなく、1月から前月までの各月の限度額と拠出額の差額を繰り越して、まとめて拠出することも可能、例えば12月に1回だけ拠出限度額×12カ月分を支払うといった「年単位」での拠出もできる

■マッチング拠出が利用できる人はiDeCoかマッチングかを自分で選択

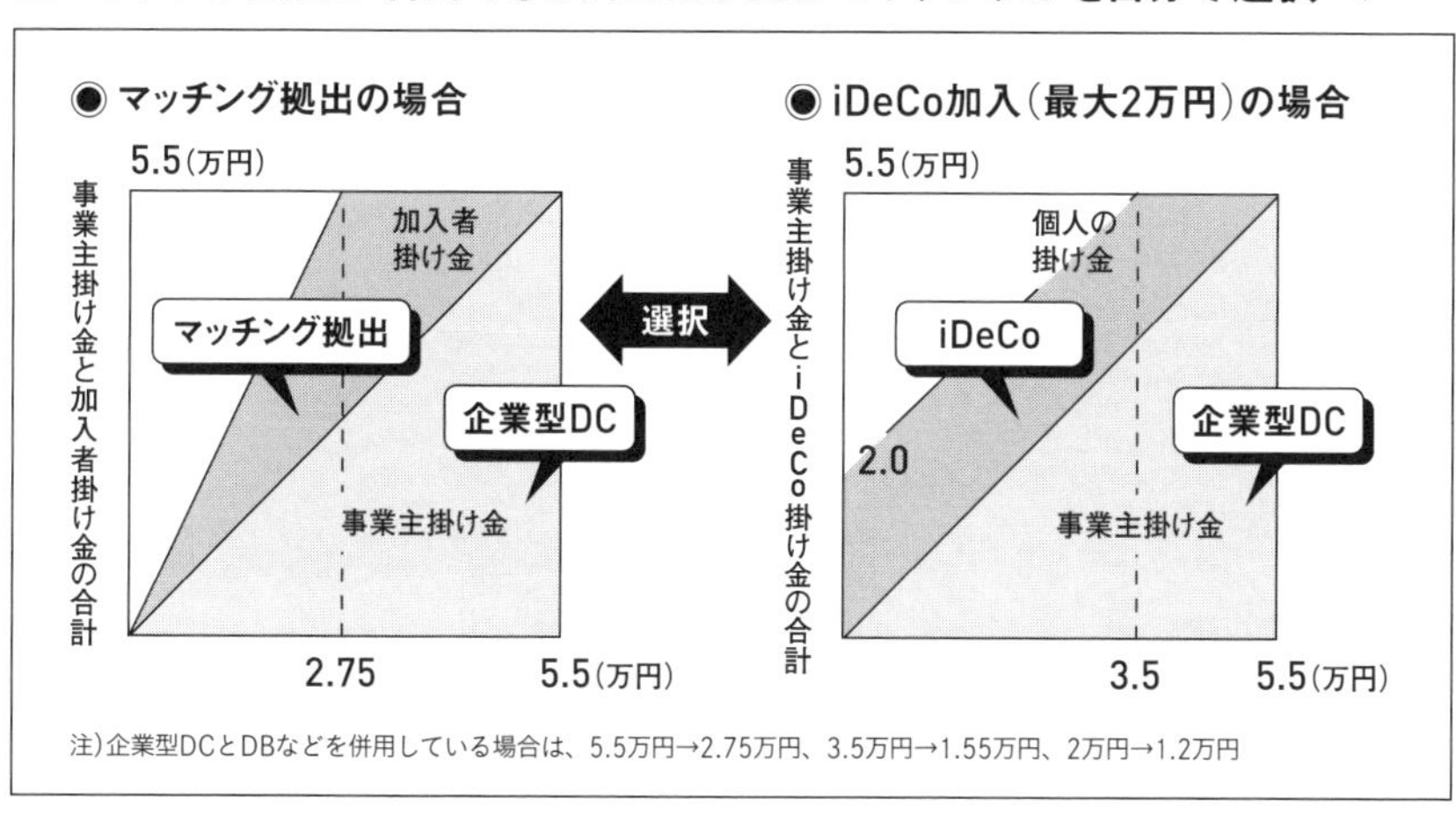

注）企業型DCとDBなどを併用している場合は、5.5万円→2.75万円、3.5万円→1.55万円、2万円→1.2万円

押さえておきたいポイントが3つあります。

1つ目は、iDeCoの拠出限度額（月額）が次の2つの計算式で算出される額のうち少ない方になることです。

① **2万円（1万2000円）**

② **5万5000円（2万7500円）－企業型DCの事業主掛け金**

※（ ）内は企業型DCに加えてDBなどもある場合

②の計算式に出てくる「企業型DCの事業主掛け金」とは、**会社が従業員のために毎月積み立て**してくれている金額です（給与やボーナスから切り出して、事業主掛け金に成りすまして積み立てている額を含む）。事業主掛け金は会社への貢献度に応じて金額を決めているケースがほとんどで、同じ勤務先でも**勤続年数や役職などによって異なります。**

事業主掛け金を踏まえたiDeCoの拠出限度額を確認する方法は、「企業型DCの加入者サイトを見る」「企業型DCのコールセンターに電話する」「会社のDC担当部署に確認する」「会社から渡されている企業型DCのテキストや資料を確認する」の4つがあります。自分の限度額はいくらか、いずれかの方法で確認してください。

マッチング拠出かiDeCoかを選択

2つ目のポイントは、勤務先の企業型DCに「**マッチング**」という、掛け金を自ら上乗せする仕組みがある場合は、マッチングとiDeCoのどちらかを選択して利用する必要があることです。

iDeCoもマッチングも、この後に紹介する拠出時の税メリットが受けられます。税メリットがある仕組みの併用はできないので、どちらかを選ぶことになります。マッチングは企業型DCの**事業主掛け金に自分で掛け金を上乗せして出す**だけなので、新たな口座開設は不要で、口座管理料を負担する必要もありません。

ただし、マッチングの拠出額は**事業主掛け金の金額以下**というルールがあります。利用する制度は変更が可能です。ですから、事業主掛け金が少ない間はiDeCoを利用し、勤続年数などによって事業主掛け金が増えてマッチングの方が多く積み立てられるようになったらマッチングを選択する、というのも一つの方法です。積立額だけでなく、**費用負担（口座管理料の有無）や運用商品のラインアップ**の面からも検討し、選択することをお勧めします。

3つ目は、**毎月定額での積み立てしか認められない**ことです。毎月定額以外の積み立てというのは、その年の1月から前月（その時点の前の月）までの各月の拠出限度額と実際の拠出額の差額を繰り越して、その範囲で拠出する額を増減させるような「**年単位**」と呼ばれる積み立ての方法です。例えば12月に1回だけ、上限月額×12を拠出するといったことが可能です。ただ、勤務先の企業型ＤＣに加入している会社員がｉＤｅＣｏを利用する場合には、この年単位は使えず、毎月定額での積み立て方法に限られます。

ちなみに、この年単位で積み立て回数を少なくすれば、積み立ての度に国民年金基金連合会に支払う１０５円（税込み）の**手数料負担が少なくなる**というメリットがある一方で、**投資タイミングの分散効果が失われます**。私自身は企業型ＤＣの加入者ではないので年単位での積み立ても可能ですが、積立額のすべてを投資信託の購入に充てているため、投資タイミングの分散効果を優先して毎月定額で積み立てています。

3 2025年から少し変わる拠出限度額

ＮＩＳＡの大改正ほどではありませんが、実はｉＤｅＣｏでも**一部の加入者にとって有利になるルール改正**が２０２４年末に控えています。拠出限度額のルールに関するもので、２０２５年１月に引き落とされる、２０２４年12月分から適用されます（ｉＤｅＣｏでは掛け金の納付月と実際の引き落とし月が１カ月ずれます）。

新しいルールの対象になるのは、**公務員及びＤＢなどがある会社員**です。これによって多くの人の拠出限度額が月額１万２０００円から**原則月額２万円に引き上げられます。**これまで、公務員及びＤＢなどがある会社員は勤務先が１人当たり毎月２万７５００円程度を従業員の老後のために積み立てていると見なして、ｉＤｅＣｏの拠出限度額を低く抑えていたのですが、数年前に国が実態を調査したところ、月額１万円にも満たない金額しか積み立てていないケースが圧倒的に多いことが判明しました。

そこで、老後に向けた資産形成機会の公平性の観点から、この人たちの拠出限度額（月額）を見直し、次の①と②のうち少ない方の金額を上限とすることになりました。

① 原則は2万円

② 5万5000円―（企業型DCの事業主掛け金＋DBなどの掛け金相当額）

DBなどの掛け金相当額が2万7500円に満たないにもかかわらず、2万7500円を受け取っていると見なされて、iDeCoの掛け金を月額1万2000円までと低く抑えられていた人は、ルール改正により拠出限度額が引き上げられます。公務員をはじめとして、これに該当する人はかなり多いです。

一方で、大手商社やマスコミのように充実した金額をDBで会社から積み立ててもらっている会社員は、iDeCoの拠出限度額が現在より少なくなるケースがあります。iDeCoの最低拠出月額は5000円なので、企業型DCの掛け金を含めて**会社から積み立ててもらっている金額が月5万円を超える**ような人は、iDeCoで積み立てができなくなり、それまでの保有資産の残高を企業型DCやDBに移す、またはiDeCoに置いたままで資産の運用のみを続けて60歳以降に受け取ることになります。

そうした人はiDeCoの利用価値が下がってしまうことになりますが、そもそもDBや企業型DCで**手厚い企業年金がある**ということなので、一概に悲観する必要はないと思

図表3-3 2024年12月分からiDeCoの拠出限度額が変わる

被保険者の区分	iDeCo掛け金の拠出限度額（月額） 2024年12月分（25年1月引き落とし分）から
自営業者やフリーランスの**国民年金第1号被保険者**	**6万8000円**※
会社員や公務員の**国民年金第2号被保険者**	企業年金の有無によって下記の2タイプに分かれる
①**企業型DCのみ**に加入	変更 以下のいずれか少ない方の金額 **・2万円** **・5万5000円 －（企業型DCの事業主掛け金 ＋ DBなどの掛け金相当額）**
②**企業型DCとDBなど**に共に加入	
③**DBなどのみ**に加入（公務員を含む）	
④企業型DC、DBなどに**加入していない**	**2万3000円**※
専業主婦（主夫）の**国民年金第3号被保険者**	**2万3000円**※

●企業型DC＝企業型確定拠出年金
●DBなど＝確定給付企業年金（DB）、厚生年金基金、公務員の年金払い退職給付、私立学校教職員共済、石炭鉱業年金基金
●※＝iDeCoの掛け金を毎月定額ではなく、1月から前月までの各月の限度額と拠出額の差額を繰り越して、まとめて拠出することも可能、例えば12月に1回だけ拠出限度額×12カ月分を支払うといった「年単位」での拠出もできる

います。iDeCoで積み立て可能なのであればその範囲で、不可能になったのであれば、保有資産の非課税運用が続けられる利点を最大限に生かして活用すれば十分でしょう。

なお、このルール改正の内容を示した上の**図表3-3**では、企業型DCのみに加入する人の拠出限度額も新ルールに含んでいますが、もともと現行ルールでも月額2万円が上限で、DBなどの掛け金相当額はゼロなので、**実質的に限度額の変更はありません。**

拠出限度額を知るのに必要な情報は既に通知されている

iDeCoの拠出限度額を把握するの

に欠かせないＤＢなどの掛け金額は、２０２２年9月までに、ＤＢの運営主体である企業や企業年金基金から**対象者に通知するよう国から指導**が出ていますので、該当する人には会社か企業年金の事務局から既に案内がされているはずです。勤務先にＤＢがあるのに知らせてもらった記憶がないという人は、担当部署に問い合わせてみてください。

ちなみにＤＢというのは、企業型ＤＣと違って個人ごとに掛け金や年金資産の管理を一般的には行っていないので、ＤＢなどの掛け金相当額についても、企業掛け金の総額を１人当たり換算したような平均的な積立額を使います。従って、同じ勤務先であれば新入社員も30年以上勤務した定年直前の人も金額は同じです。

ＤＢ加入者も２０２４年12月分以降は、毎月5万５０００円から該当する会社掛け金相当額を差し引く形でｉＤｅＣｏの拠出限度額を管理する仕組みになるので、ＤＢのみに加入していた人（公務員含む）が認められていた**「年単位」での拠出は認められなくなります**。２０２３年3月時点で、ｉＤｅＣｏで年単位の積み立てをしている公務員は約2万７０００人います。公務員やＤＢのみがある会社員で、ｉＤｅＣｏを年単位の設定にしている人は、契約先から必要書類を取り寄せて、２０２４年秋までに毎月定額への積み立て設定の変更手続きをしてください。

4 積立時の税制優遇は、NISAにはない利点

iDeCoは運用時の利益が非課税になるだけでなく、積立時にも大きな税制優遇があり、受取時は課税ですが一定の税制優遇があります。

積立時は、**積立額の全額を「所得控除」する**ことができるので、課税所得が下がって所得税や住民税が軽減されます。積立額が所得から全額控除されるこの税制優遇は、他の**資産形成支援制度にはありません**。例えば、老後に備える金融商品として個人年金保険というものがありますが、こちらは払い込んだ年間保険料がいくら多くても、所得税であれば年間最大4万円分、住民税は同2万8000円分までしか所得から控除できません。

iDeCoは毎月1万円、年間12万円積み立てたとすれば、その12万円すべてが控除可能なので、所得税や住民税の負担軽減効果は大きくなります。そして、そのメリットは積み立てをしている間、**毎年継続的に享受**できます。

つまり若いうちにiDeCoに加入すると、そのメリットを受ける期間を長くできるということなのです。現役時代の暮らしに無理のない金額で、なるべく早いうちから時間を

しっかりかけて老後資金を準備する。そのための〝器〟がｉＤｅＣｏなのだと、国が位置付けていることが分かります。

税負担が年間数万円規模で軽減される

軽減される税額は、**図表３‐４**のように「課税所得」と「掛け金額（積立額）」によって異なります。例えば**課税所得が３００万円の人が月額２万３０００円**（企業年金がない会社員の拠出限度額に相当）を積み立てたとすると、所得税・住民税を合わせて**年間５万５２００円の税負担軽減**となります。ｉＤｅＣｏで積み立てるだけで、これだけの金額が確実に得になると言えるわけです。

課税所得は、総収入（いわゆる年収）から経費や所得控除などを差し引いた後の金額です。自営業やフリーランスの人であれば確定申告で提出した書類で確認できますし、勤め人であれば年末調整の際に受け取る源泉徴収票にある**「給与所得控除後の金額」から「所得控除の額の合計額」を指し引く**ことで算出できます。

積立時の税制優遇を受けるには、毎年10月末あたりに圧着はがきで届く**「小規模企業共済等掛金払込証明書」**を添付して、年末調整か確定申告の際に申告することが必要です。申告すると、所得税は還付で、住民税は翌年の住民税減額という形で軽減されます。

図表3-4 掛け金別の税負担軽減額の概算

課税所得	税率		掛け金別の所得税と住民税の軽減額		
	所得税率	住民税率	月5000円（年間6万円）	月2万3000円（年間27万6000円）	月6万8000円（年間81万6000円）
195万円以下	5%		9000円	4万1400円	12万2400円
195万円超～330万円	10%		1万2000円	5万5200円	16万3200円
330万円超～695万円	20%		1万8000円	8万2800円	24万4800円
695万円超～900万円	23%	10%	1万9800円	9万1080円	26万9280円
900万円超～1800万円	33%		2万5800円	11万8680円	35万880円
1800万円超～4000万円	40%		3万円	13万8000円	40万8000円
4000万円超	45%		3万3000円	15万1800円	44万8800円

注）上記試算には復興特別所得税は考慮していない

■源泉徴収票で課税所得をチェック

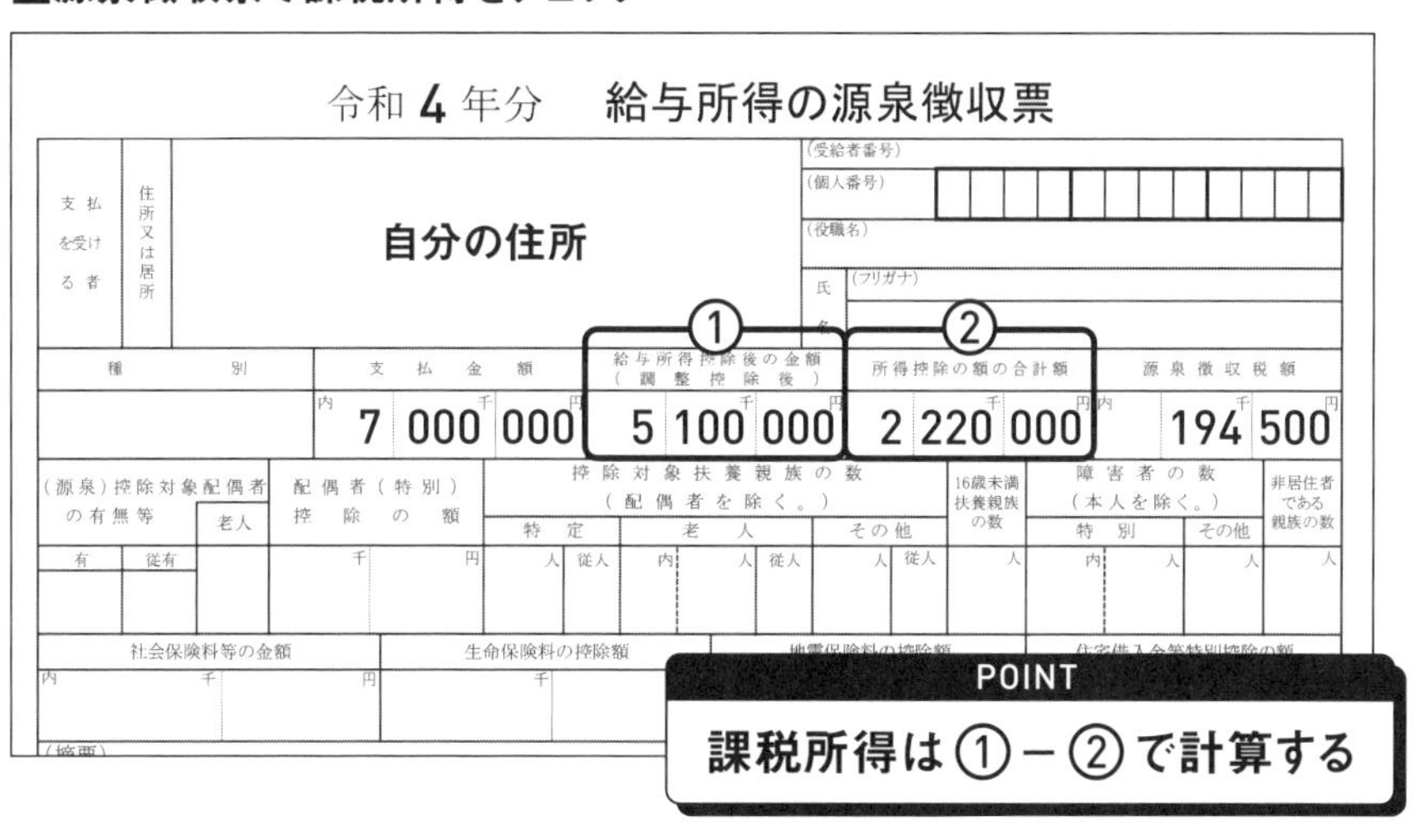
令和4年分　給与所得の源泉徴収票

支払を受ける者	住所又は居所	自分の住所

種別	支払金額	①給与所得控除後の金額（調整控除後）	②所得控除の額の合計額	源泉徴収税額
	7 000 000	5 100 000	2 220 000	194 500

5 運用商品は金融機関により異なる

iDeCoの運用商品は投資信託を中心に、元本確保型商品として預貯金やGICと呼ばれる貯蓄型の保険商品もあります。金融機関（正確には運用関連運営管理機関として厚生労働省に届け出ている金融機関などですが、本書では分かりやすさを優先し「金融機関」とだけ書きます）によって、**ラインアップされている運用商品は異なります。**

日本に約6000本ある投資信託の中で、iDeCoで利用できる商品、つまり老後資金づくりに向いている商品として提示されているのは約700本です。全体の1割強と、それなりに絞り込まれています。この背景には、法令上、各金融機関がiDeCoの商品選定を行う際には、「専門的な知見に基づいて加入者などの効果的な運用に資する商品を吟味し、高齢期の所得確保の視点から見て、**バランスの取れた商品を3本から35本の範囲で選定すること**」とされていることがあります。

実際にiDeCoの商品として並んでいる投資信託を見ると、長期・積み立て・分散に資するものとして厳しい条件が課されている「つみたてNISA」（2024年以降は「つみたて投資枠」）の対象商品が多く含まれています。これは、コツコツと積み立てながら資産形成をするという点ではｉＤｅＣｏと制度コンセプトが同じなので当然と言えます。逆に、個人的には、ｉＤｅＣｏの運用商品を選ぶ際に、**つみたてＮＩＳＡの対象となっているかどうか**という観点から絞り込むのは有用な方法と考えます。

投資信託選びはコストをよくチェック

さらに、特に「パッシブ（受動的）運用」を行う投資信託では、**運用を任せるコスト面のチェックも欠かせません。**パッシブというのは、株式や債券などの投資対象とするマーケット全体と同じような値動きを目指す運用スタイルのことを言います。

中でも、マーケット全体の動きを示す指数（インデックス）に連動するタイプの「インデックス型投資信託」が、過去の良好な運用実績と商品性の分かりやすさからここ数年で人気を高めており、毎月の買付額もうなぎ上りです（ただし、連動する指数が本当にマーケット全体の動きを表しているかどうかは別です）。

商品性において大差がないパッシブ運用の投資信託においては、差別化しやすい**信託報酬**（運用を任せるコスト。保有中は常にかかる）が注目を集め、顧客及び投資資金を獲得するためにと「値下げ競争」が激化しています。一方で、同じ商品性なのに昔ながらの高いコストのままの投資信託を、ｉＤｅＣｏの商品ラインアップに平然と入れている金融機関もあります。自分の大切なお金を預けて運用してもらうに当たり、同じ投資対象・同じ運用手法なのであれば、コストが低いに越したことはありませんから確認しましょう。

コストが低い投資信託、高い投資信託

ここでは商品選びや金融機関選びの一つの参考に、パッシブ投資信託の中で、**信託報酬が最も安い商品**とそれがｉＤｅＣｏで買える金融機関を一覧にしてみました(**図表３-５**)。投資対象として個人に人気が高い、「全世界株式」「先進国株式」「国内株式」のインデックス型投資信託です。

こうした投資信託は、ｉＤｅＣｏで資産形成に取り組むに当たって**有力な選択肢**になります。この**図表３-５**の商品一覧は、私が理事をしているＮＰＯ法人・確定拠出年金教育協会が運営する、ｉＤｅＣｏに関する**情報サイト「ｉＤｅＣｏナビ」**(https://www.dcnenkin.jp/)に掲載している情報(２０２３年9月22日時点)から作成しています。インデックス型投資信託はいまだ激烈な値下げ競争が行われていますから、低コストの商品の顔ぶれは今後も変わる可能性が高いです。

最新の情報は、この一覧で掲載した形態とは異なりますが、下のＱＲコードからｉＤｅＣｏナビの「運用管理費用(信託報酬)で比較」のページにアクセスすれば、カテゴリーごとの**最安の信託報酬やその商品**を確認で

図表 3-5 iDeCoで買える低コストのパッシブ投資信託の例

投資対象資産	投資信託名	信託報酬	主な取扱金融機関
全世界株式	eMAXIS Slim 全世界株式（オール・カントリー）	0.05775%	松井証券、マネックス証券、auアセットマネジメント
	eMAXIS Slim 全世界株式（除く日本）	0.05775%	SBI証券、松井証券
	eMAXIS Slim 全世界株式（3地域均等型）	0.05775%	松井証券
先進国株式	eMAXIS Slim 先進国株式インデックス	0.09889%	SBI証券、松井証券、マネックス証券、auアセットマネジメント
	たわらノーロード 先進国株式	0.09889%	楽天証券、イオン銀行、ソニー銀行、みずほ銀行、JAバンク、ソニー生命保険、第一生命保険
	〈購入・換金手数料なし〉ニッセイ外国株式インデックスファンド	0.09889%	SBI証券
	DCニッセイ外国株式インデックス	0.09889%	岡三証券、日本生命保険
	野村外国株式インデックスファンド・MSCI-KOKUSAI（確定拠出年金向け）	0.09889%	第四北越銀行、西日本シティ銀行、福岡銀行、信金中央金庫、あいおいニッセイ同和損害保険
	野村DC外国株式インデックスファンド・MSCI-KOKUSAI	0.09889%	野村証券、岩手銀行、東邦銀行、滋賀銀行、中央労働金庫
国内株式	eMAXIS Slim 国内株式（TOPIX）	0.143%	SBI証券、松井証券
	eMAXIS Slim 国内株式（日経平均）	0.143%	松井証券
	たわらノーロード 日経225	0.143%	楽天証券、損保ジャパンDC証券、ソニー銀行、広島銀行、富国生命保険
	〈購入・換金手数料なし〉ニッセイ日経平均インデックスファンド	0.143%	SBI証券
	DCニッセイ国内株式インデックス	0.143%	岡三証券、日本生命保険

注）データ出所：iDeCoナビ（ https://www.dcnenkin.jp/）「運用管理費用（信託報酬）で比較」。2023年9月22日時点。信託報酬は税込み。SBI証券はセレクトプランの場合

きます。毎月、情報を更新しているのでぜひ活用してください。

次は逆に、投資対象資産となる国内外の株式・債券の同じカテゴリーにおいて、**信託報酬が目立って高いパッシブ投資信託**と、それを扱っている金融機関についても一覧にしてみました（**図表3‐6**）。表内の投資対象資産の欄に「※最安信託報酬」として入れている値が、そのカテゴリーで最も低コストのパッシブ投資信託（インデックス型投資信託）の信託報酬です。一覧にある商品との明らかなコスト差を見ると、加入者利益を重視した商品選定が行われているとは言えません。

そして、このような商品を多く並べている金融機関はｉＤｅＣｏに熱心に取り組んでいないと思われ、商品ラインアップ以外の加入者向けサービスも**良いものは期待しにくい**と言えるかと思います。こちらも状況は刻々と変わると思いますので、先ほどと同じように、ｉＤｅＣｏナビの「運用管理費用（信託報酬）で比較」のページにアクセスして最新情報を確認してください。

ｉＤｅＣｏナビには、商品比較以外にも、金融機関の手数料やサービスを比較できるコーナーもあります。誰でも利用登録なしに自由に利用できますので、商品選びや金融機関選びに活用いただければ幸いです（詳細は129ページ）。

図表 3-6 気を付けたい高コストのパッシブ投資信託の例

投資対象資産	投資信託名	信託報酬	主な取扱金融機関
先進国株式 ※最安信託報酬 0.09889%	ダイワ投信倶楽部 外国株式インデックス	1.045%	大垣共立銀行、紀陽銀行、 山口銀行、愛媛銀行、肥後銀行
	ステート・ストリートDC外国株式 インデックス・オープン	1.045%	ゆうちょ銀行、富国生命保険
新興国株式 ※同0.1518%	eMAXIS 新興国株式インデックス	0.66%	南都銀行
国内株式 ※同0.143%	東海3県ファンド （確定拠出年金）	1.078%	十六銀行、百五銀行
	DCトヨタ自動車／ トヨタグループ株式ファンド	0.759%	あいおいニッセイ同和損害保険
	DC・ダイワ・トピックス・インデックス （確定拠出年金専用ファンド）	0.682%	秋田銀行、大垣共立銀行、 中国銀行、愛媛銀行
	インデックスファンドTOPIX （日本株式）	0.682%	損保ジャパンDC証券、 みちのく銀行、荘内銀行、 筑波銀行、栃木銀行、ソニー生命
	株式インデックス225	0.682%	秋田銀行、紀陽銀行
先進国債券 ※同0.154%	インデックスファンド海外債券 （ヘッジなし）1年決算型	0.737%	百十四銀行、大分銀行
	インデックスファンド海外債券 （ヘッジあり）1年決算型	0.737%	百十四銀行、十六銀行、肥後銀行
国内債券 ※同0.132%	インデックスファンド日本債券 （1年決算型）	0.495%	損保ジャパンDC証券、栃木銀行、 スルガ銀行、池田泉州銀行、 百十四銀行、肥後銀行
	ダイワ投信倶楽部 日本債券インデックス	0.495%	十六銀行、愛媛銀行

注）データ出所：iDeCoナビ（https://www.dcnenkin.jp/）「運用管理費用（信託報酬）で比較」。2023年9月22日時点。信託報酬は税込み。各カテゴリーで信託報酬が高い代表的な商品。国内株式はTOPIX及び日経平均株価に連動するものを含む上位5本を掲載。最安信託報酬は各カテゴリーで最も低コストのパッシブ投資信託（インデックス型投資信託）の信託報酬

商品ラインアップは随時見直される

先ほど商品情報は最新のものを確認するようにと書きました。それは法令上も、iDeCoの商品は見直す必要がないかを**金融機関が定期的にモニタリングする**ことが定められているため、実際に商品が追加されたり、除外されたりしてラインアップが変化するからです。また、信託報酬が引き下げられることもあります。こういった重要な情報は契約している金融機関から必ず連絡がありますので、確認するようにしましょう。

特に商品の「除外」は、投資信託の運用成績が振るわなかったりコストが高かったりして、iDeCoの運用商品として**適切ではないと判断されて外される**わけですから、もしその商品を積み立てている場合は、他の商品での運用に切り替える手続きを取る必要があります。商品が除外されると、除外日以降に新たな資金をその商品に投資することはできなくなるので、手続きを万が一怠ると、除外日以降の掛け金は金融機関が指定した運用商品に自動的に預け入れられます。

一方で、除外日時点で残高として保有している該当商品については、その商品での**運用自体は続けられる形での除外の手法**がほとんどの金融機関で取られています。なぜなら金融機関としては、除外によって顧客の資産を事務的に売ることで、利益ならまだしも、損失を確定させるのは避けたいからです。ですから、除外の際に運用商品を乗り換える手続きをしないと、成績が振るわない、コストが高い商品を持ち続けることになるので要注意です。

また、商品の「追加」という場合も、従来のラインアップにはない魅力があると判断されて追加になっているわけですから、**運用商品の候補として検討する価値**はあります。

この見直しの動きは、ほぼ毎月どこかの金融機関が行うという状況が続いています。iDeCoに加入してからそれなりの期間がたったという人は、契約先の商品ラインアップが変わっているかもしれません。加入者サイトにアクセスして確認し、必要があればこれまでの保有商品やこれからの積み立てで購入する商品の変更を行ってください。

6 iDeCoの受け取り方とルール

iDeCoは年金として少しずつ受け取るという、NISAにはない受け取り機能が備わっています。まとまった資産を受け取るということは、自分でタイミイグなどを判断して売却しようと思うと、売却指示を何度も出す手間だけでなく、**精神的にも負担がかかる**ので結構大変です。

例えば投資信託の売却は、自分が指示を出したその時の相場状況次第で受取額が変わりますから、今日でいいか、明日の方がいいのではないかと迷うでしょうし、一部売却することにより資産残高が減るというのは頭では分かっていても、不安な気持ちが少なからず湧くでしょう。資産運用の経験が長い私でも、売却は精神的に負担を伴う作業です。

運用資産を少しずつ受け取る場合は、これを何回も繰り返すことになるわけですから大変です。ただiDeCoでは、**資産を取り崩して少しずつ受け取る「年金受け取り」**が制度として標準装備されていて、一連の作業はどこの契約先金融機関でも任せることができます。これはiDeCoならではの魅力と言えるのではないでしょうか。

2022年春から、「運用資産の高齢期の取り崩しについて個人がどう向き合うべきか」について、高齢者の資産活用の啓発活動を行うフィンウェル研究所の野尻哲史さんたちと、デキュムレーション研究会と称して定期的に議論を重ねています。iDeCoの年金受け取りは、その解決策の一つだと私は思います。

受け取り開始は原則60歳以降75歳までに

iDeCoは老後資金なので、障害や死亡といった特別の事情がない限り、原則60歳以降75歳までの間で積み立てを終了した後に受け取り始めることが可能です。

60歳に到達しても老後資金として受け取れないケースは2つあり、1つ目は60歳以降もまだ加入して積み立てをしているケース、2つ目は60歳時点で加入または積み立ては行わずに残高の運用指図を行っていた期間（企業型DCの該当期間も含む）が10年に満たないケースです。後者は118ページの**図表3‐7**のように、60歳時点での加入者等期間に応じて**受給開始可能年齢が引き上げられます。**50歳以降にiDeCoに新規加入しても、60歳以降も会社員や公務員として働き続けて65歳まで積み立てを続ければ、積み立て終了後すぐに受け取ることができます。

受け取るためには申請手続きが必要です。受け取りたいタイミングにウェブサイトかコールセンターを通じて手続き書類を請求し、振込先の口座情報などを記入し、添付書類と

図表 3-7 老齢給付金の受け取り開始可能年齢

60歳時点での通算加入者等期間	受給開始が可能な年齢
10年以上	満60歳
8年以上10年未満	満61歳
6年以上8年未満	満62歳
4年以上6年未満	満63歳
2年以上4年未満	満64歳
1カ月以上2年未満	満65歳
0カ月	加入5年後

注）通算加入者等期間＝iDeCoと企業型DCの加入期間を合算した期間

◉原則は60歳以降に「老齢給付金」を受け取る
◉高度障害時は「障害給付金」として、死亡時は遺族に「死亡一時金」として支給される

共に提出します。受け取り方法は大きく分けて3つあり、①一括で受け取る「**一時金受け取り**」、②分割して受け取る「**年金受け取り**」、③一部を一時金で受け取って残りは年金として受け取る「**併給**」から選ぶことができます。受け取り方法は申請の際に決めます。

受取額は売却時のマーケットの影響を受ける

受取額は運用結果次第、つまり自分が選んだ商品の運用成績次第で大きく変わるということになります。現在のiDeCo加入者の平均積立月額は1万6150円です。この額で40歳から60歳まで20年間積み立て、年利回り4％で運用できたとすると、60歳時点での資産残高は約590万円になります。受け取るというのは保有資産を売却することになる

わけですが、その売却のタイミングは事務的に決められた日に行われます。

従って、すべて一時金で受け取る場合は売却日やその直前時期のマーケットの動向が受取額に大きな影響を与える可能性があります。タイミング悪く暴落相場に当たってしまったら目も当てられません。**590万円のはずが、550万円や500万円になる**こともあり得ます。これを避けるためには、できれば受け取り手続きを行うより前の時期に、保有している投資信託を全部とは言わないまでも大半を売り、**定期預金に変更するスイッチング**（商品の預け替え）をしておくと安心です。

年金として受け取る場合は、保有資産の運用を非課税で続けながら、希望した受け取り回数などに応じて資産の一部を売却する形で取り崩し、分割して受け取ります（iDeCoの契約先が保険会社の場合は、保険商品を買って年金支払いをしてもらうという選択肢もあります）。

年金として受け取る期間は**最短5年、最長20年から選べます**が、契約する金融機関によって5年、10年、15年といった選択肢から選ぶケースと、5～20年の間で期間を自由に決めるケースがあります。さらに、保険商品を使った受け取りでは終身で受け取ることもできますが、現状の金利状況では保険商品に内包されている見えないコストが高くついてしまい、平均寿命まで受け取ったとしても受け取り手続き時点の資産残高を回収することができない可能性が高いのでお勧めできません。

取り崩し方法は、**資産残高を残りの受け取り回数で案分する方法**が一般的ですが、定額受け取りにして、受け取り回数や最後の受取額で調整する方法が選択できる金融機関もあります。また商品の売却も、複数の商品を保有していた場合にすべての保有商品を均等に取り崩すだけでなく、商品の売却順序を指定できるような金融機関もあります。こうした選択肢が多いと、比較・検討して決めて、手続き書類に記入しなければならないことも増えます。面倒なことが嫌いな私は、選択肢が少ない方が好ましいと思っています。

なお、iDeCoに資産残高がある間は口座管理料（月額66～484円・税込み）を継続して負担することになりますし、給付（振り込み）の都度、給付手数料が440円（税込み。あいおいニッセイ同和損害保険は385円）かかるので、年金受け取りの際には少ない振り込み回数で最短の5年など、なるべく短い期間で受け取って**コストを下げ、手取り額を多く**することをお勧めします。

一時金と年金で異なる税の取り扱い

もう一つのコストである税金ですが、iDeCoの受取時は資産が値上がりした分だけでなく、受取額全体が課税の計算対象になります。ただし大事な老後資金ですから、負担が軽くなるように全額を課税対象とはせず、一時金として一括で受け取る場合には、**加入年数に応じた「退職所得控除」を差し引いた金額の2分の1**が、退職所得として分離課税の対象になります（122ページの**図表3－8**参照）。また年金として受け取る場合には、**年齢と所得に応じた「公的年金等控除」を差し引いた金額だけ**が、雑所得としてその他の収入と合わせて総合課税の対象になり（123ページの**図表3－9**参照）、税負担が小さくなるような制度になっています。

いずれの控除も、iDeCoの受け取りと同じ年に同じ方法で会社からの退職金・企業年金や公的年金を受け取ると、それらを**合算した受取額から控除を差し引く**ので、受取額が控除の枠内に収まらずに課税されやすくなります。また、一時金で受け取る場合には同じ年だけでなく、前年以前19年間、ざっくり言えば20年前から前年までに受け取った退職一時金もこの合算の対象になります。もし40歳以降の転職などで退職一時金を受け取っていると、その際の退職所得控除の計算に使った期間（勤続年数）はiDeCoの一時金を受け取る際の計算には使えず、控除の枠が小さくなる可能性があります。

さらに、40歳以降の転職などで退職一時金を受け取ったことがある人は、受け取った際に自宅に届いた「**退職所得の源泉徴収票」が必要になります**。そこに書かれている情報を、iDeCoで一時金受け取りをする際の手続き書類に記入する必要があるためです。手元にある人はなくさずに保管し、手元にない（所在が分からない）人は元の勤務先に再発行を依頼して入手しておいてください。ない場合は、退職所得控除の適用を受けられなくなるので注意が要ります。

図表 3-8 iDeCoの「一時金受け取り」の場合

■退職所得として分離課税

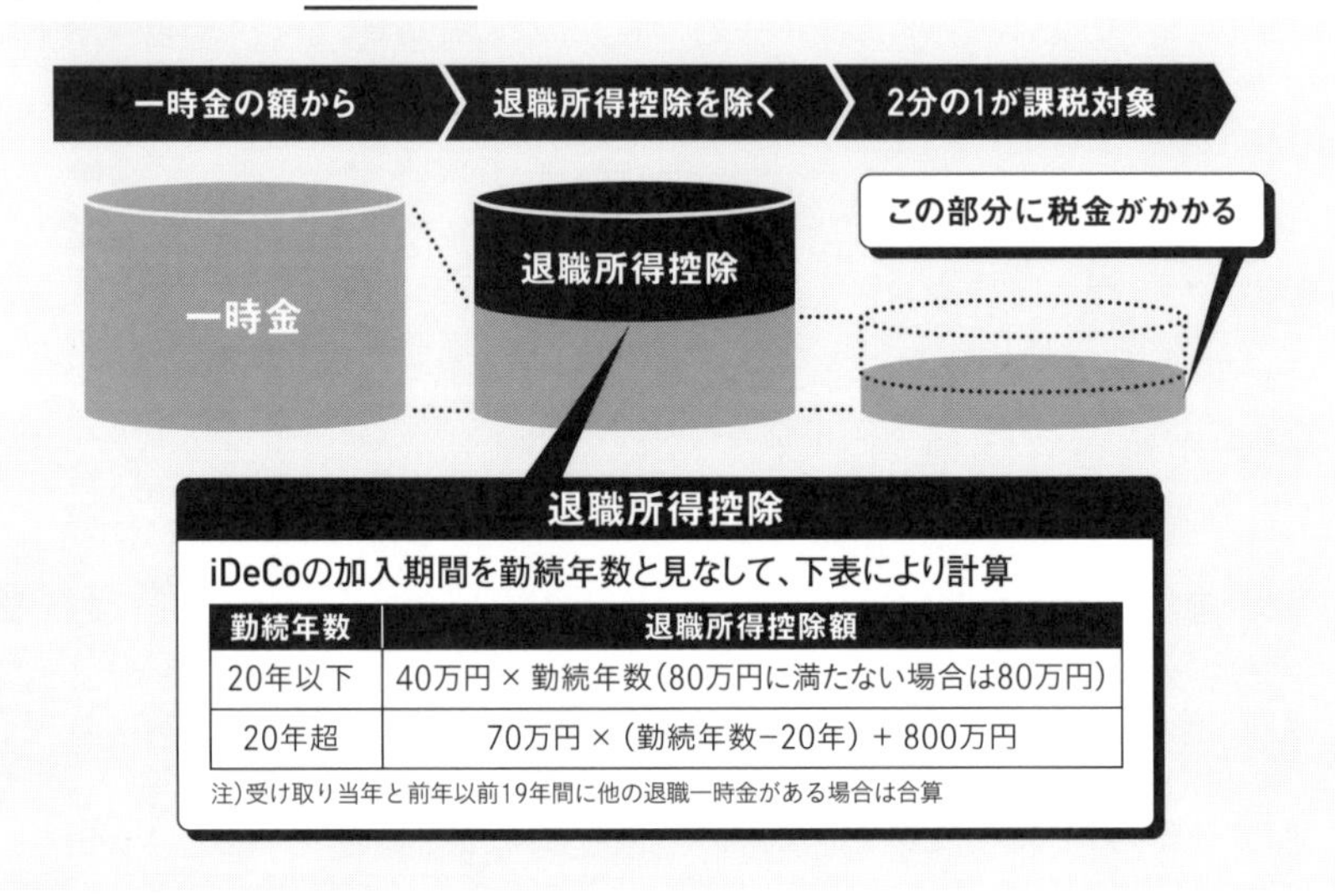

勤続年数	退職所得控除額
20年以下	40万円 × 勤続年数(80万円に満たない場合は80万円)
20年超	70万円 × (勤続年数−20年) + 800万円

注)受け取り当年と前年以前19年間に他の退職一時金がある場合は合算

■退職金とiDeCoの一時金の合算イメージ

◉22歳から60歳まで38年間勤務し、退職一時金2000万円

◉iDeCoは40歳から加入し、60歳に一時金として500万円

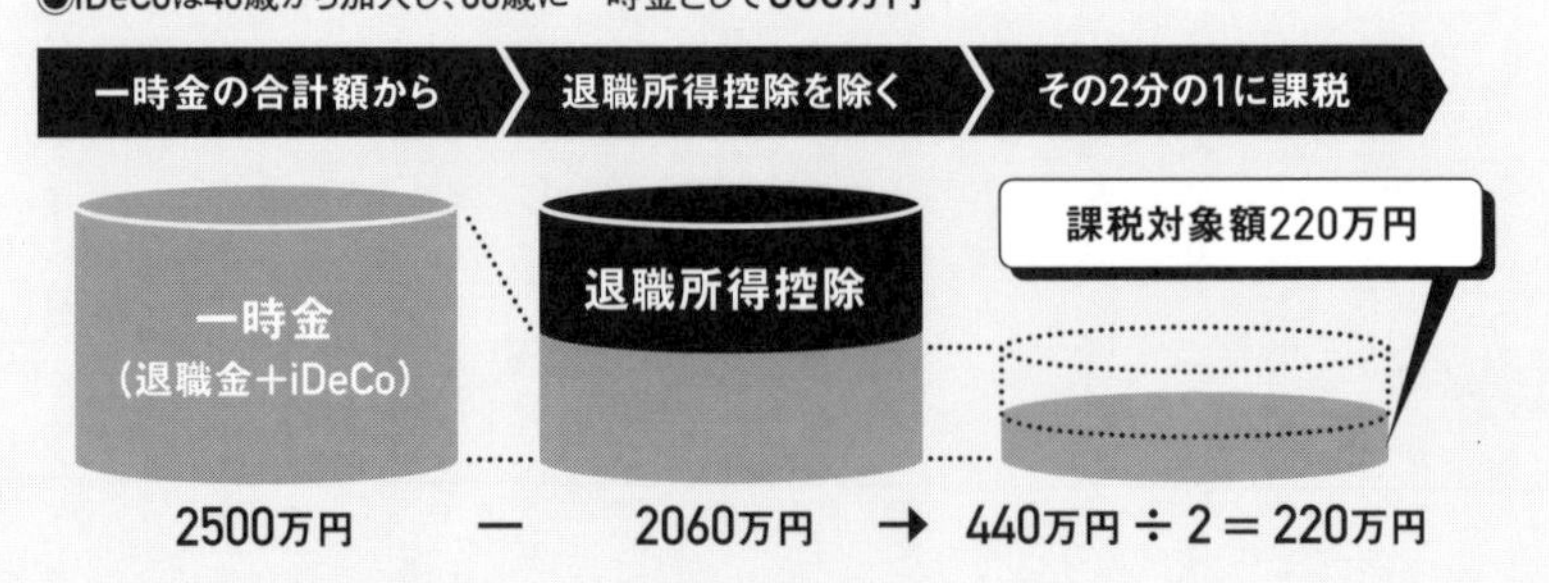

注)手続きの際にiDeCoの前に受け取った退職所得の「退職所得の源泉徴収票」の提出が必要

図表 3-9 iDeCoの「年金受け取り」の場合

■雑所得として総合課税

	公的年金等の収入金額(年)	公的年金等控除額
65歳未満	130万円未満	60万円
	130万円～410万円未満	収入金額×25%+27.5万円
	410万円～770万円未満	収入金額×15%+68.5万円
	770万円～1000万円未満	収入金額×5%+145.5万円
	1000万円以上	195.5万円
65歳以上	330万円未満	110万円
	330万円～410万円未満	収入金額×25%+27.5万円
	410万円～770万円未満	収入金額×15%+68.5万円
	770万円～1000万円未満	収入金額×5%+145.5万円
	1000万円以上	195.5万円

注)公的年金等に係る雑所得以外の所得額が年間1000万円以下の場合

年金受け取りは確定申告が必須

iDeCoの年金受け取りの場合の留意点は2つあります。1つ目は、受け取った後に確定申告をする必要があることです。年金として受け取る額は、所得税相当額としてあらかじめ**7・6575%が源泉徴収された後の金額**です。本来は年金額やそれ以外の収入を含めた所得額によって税率は一人ひとり異なるわけですが、それを全員に聞き取って処理するのは現実的ではないので、やや多く徴収した上で、自分で還付の手続きをしてもらう流れとなっています。

確定申告することによって、公的年金等控除を適用した所得税額との過不足を調整することができます。年金が給付された年の12月末に「公的年金等の源泉徴収票」が届くので、これを使って確定申告してください。住民税はあらかじめ源泉徴収されることはなく、他の所得と合わせて翌年の住民税額に反映されます。

2つ目は、収入としてカウントされることで**社会保険料が増え、医療や介護の自己負担率への影響が出る**可能性もあることです。負担がどれくらい増えるかについて、在職中であれば加入している健康保険組合で、国民健康保険に加入している場合は居住する自治体の国民健康保険担当窓口で、事前に確認しておくことをお勧めします。

基本パターンは公的年金受け取りまでの〝つなぎ〟

iDeCoは、老後の生活に必要なタイミングに受け取るのがベストです。なんといっても、そのために準備してきた資金です。その上で、できればコストを抑えた方法で受け取ることを検討してください。

基本パターンとして考えられるのは、42ページで「人生100年時代」のパターンとして紹介したように、引退して働いて得られる収入がなくなった後、**公的年金を受け取るまでの生活費を賄うための資金**として受け取るという方法です。公的年金は受け取り開始の時期を原則の65歳ではなく、それ以降に繰り下げることで増額できます。その増えた金額が死ぬまで支給されます。

人生100年時代、何歳まで生きるか分かりませんから、公的年金が手厚くなることは**長生きリスクを低減する絶大な効果**があります。ただ、そのためには65歳以降に繰り下げしている間の生活費を、自分で用意した資産の取り崩しなどで賄う必要があります。iDeCoはまさしく、この繰り下げ期間中の生活費の一部を賄うお金として、年金で受け取るのが基本だと思います。

例えば、会社員が40歳でiDeCoに加入し、65歳まで25年間加入、毎月2万3000円を積み立てて年率4％で運用ができたとすると、65歳時点での資産残高は約1182万円となります。これを65歳から70歳までの5年で受け取ると年額約236万4000円、月額にすると約19万7000円になります。一方で、65歳以上の高齢者無職世帯の消費支出は、総務省の家計調査によると2022年度は夫婦世帯で約23万7000円、単身世帯で約14万3000円です。夫婦世帯では他の資産からも少し資金手当てする必要がありますが、iDeCoの年金を受け取りながら、**公的年金を5年間繰り下げることが十分に視野に入る**ことはお分かりいただけると思います。

5年間繰り下げできれば、公的年金は65歳時点でもらうはずだった金額の1・42倍（額面ベース）となります。またiDeCo以外に年金受け取りがなければ、雑所得の課税対象になるのはiDeCoの受取年額236万4000円のうち、公的年金等控除を差し引いた126万4000円で済みます。**公的年金と受け取りタイミングをずらすことで、課税額を減らせる**のがポイントです。

さらに、iDeCoとして使える退職所得控除があれば、その枠内の金額は一時金で受け取り、残りを年金として組み合わせて受け取る方法にすると、年金として受け取る金額が減るので、課税される額をさらに少なくできます。

7 iDeCoを始めるステップを確認

ｉＤｅＣｏもＮＩＳＡと同様に専用口座を開設する必要があります。契約できるのは、厚生労働省に運営管理機関として登録し、国民年金基金連合会から業務委託を受けている証券会社や銀行、保険会社など１５０社余りの金融機関などで、契約先によって手数料や商品ラインアップ、サービスが異なります。

コストが安い金融機関は商品・サービスも良い傾向

ｉＤｅＣｏはＮＩＳＡと違って、加入時、積立時、積み立て終了後に資産運用している間、さらに受け取る際にも手数料がかかります。この手数料の多くが金融機関によって違うので、契約先選びにコストの比較は欠かせません。そして、こうした手数料を低く抑えている金融機関ほどｉＤｅＣｏに力を入れており、**商品でも良質なラインアップをそろえ、加入者向けのサービスもしっかりしている**傾向があります。

図表3-10「iDeCoナビ」を活用する

iDeCoナビ

運営：NPO法人・確定拠出年金教育協会

https://www.dcnenkin.jp/

積み立て中（加入中）の口座管理料が安い金融機関を表示

金融機関名	運用期間中かかる費用（毎月）積立の場合	WEBの使いやすさ	コールセンター土日稼働	加入者向けWEBセミナー	商品数
イオン銀行	171円	★★★	土・日・祝	○	24
岡三証券	171円	★★	-	○	29
さわかみ投信	171円	★★	土	○	3
ソニー銀行（資産50万円以上）	171円	★★★	-	○	28
第一生命保険（加入から2年目以降の手数料優遇あり）	171円	★★★	土・日・祝	○	18
大和証券	171円	★★★	土・日	○	22
野村證券	171円	★★★	土・日	○	32
松井証券	171円	★★★	-	○	40
マネックス証券	171円		土	○	27
みずほ銀行（資産50万円以上）	171円	★★★	土・日	○	31
三井住友銀行（みらいプロジェクト）	171円	★★★	土・日	○	24
楽天証券	171円	★★	土	○	32
りそな銀行	171円	★★★	土・日	○	29
ａｕアセットマネジメント	171円		土・日	○	22
ａｕカブコム証券	171円		土・日	○	27
ＳＭＢＣ日興証券	171円	★★★	土・日	○	30
ＳＢＩ証券（セレクトプラン）	171円	★★★	土・日　※新規のみ	○	38

こう断言できるのは、前述した情報サイト「iDeCoナビ」をNPO法人・確定拠出年金教育協会の理事として立ち上げた2016年から、常に情報収集を続けているからです。iDeCoナビでは、金融機関ごとの商品ラインアップ・手数料・サービスを一覧で表示し、昇順・降順で並べ変えて比較が可能です。

また、商品に関しても同カテゴリーでの**費用や運用実績の面から比較**ができますし、109ページで言及したような、つみたてNISAの対象になっているかどうかといった点もチェックできます。また、それぞれの商品を購入できる金融機関も手軽に確認可能です。契約先候補の絞り込み、資料請求などに活用してください。

よく比較・検討して慎重に選ぶ

iDeCoは利用中に契約先金融機関の変更が一応可能ではありますが、NISAとは異なり、金融機関の変更に伴ってそれまでの**資産残高をすべて売却して新しい契約先に移す**必要があります。従って、手続きの手間だけではなく、運用の中断という大きな代償を払うことになります。また主要ネット証券などでは、資産を移す際に4400円（税込み）の手数料も徴求されます。

iDeCoの契約先は受け取り完了まで変更しないに越したことはなく、変更しないことを前提に慎重に決めてください。具体的には、口座管理料や商品ラインアップから有力候補を絞り込み、まず資料を取り寄せます。複数の金融機関から届く資料を比較・検討することで、**商品やサービス、情報提供の細やかさなどの違い**がよく分かりますし、資料が届くまでの時間でレスポンスの良さも比べられます。

契約先を決める要素は色々ありますが、なんといっても投資したい商品がきちんとあることが一番です。これはＮＩＳＡでも同じですが、まず商品をイメージしてから契約先を決めるのがベストです。

契約先と商品が決まったら、次は積立額です。ｉＤｅＣｏでは**老後資金として固定してしまってよい金額**の範囲内で積立額を決めてください。契約先・商品・積立額を決めたら加入申し込み手続きを行います。記入項目には「引き落とし金融機関の口座番号」の他に「基礎年金番号」も必要になります。基礎年金番号は「青色の年金手帳」や「基礎年金番号通知書」を参照して記入してください。

会社員や公務員は、勤務先でどんな年金制度の加入者になっているかを勤務先に証明してもらう「**事業主の証明書**」を、加入申し込み書類と一緒に提出する必要があります。勤務先に依頼する手間と負担がかかる事業主の証明書については、２０２５年からは関係機関がデータ連携することによって提出が不要となる予定です。これが実現すると、自営業やフリーランス向けが先行しているスマホでのｉＤｅＣｏの申し込みが、一気に広がることでしょう。

図表 3-11 iDeCoの資料請求から金融商品の購入までの流れ

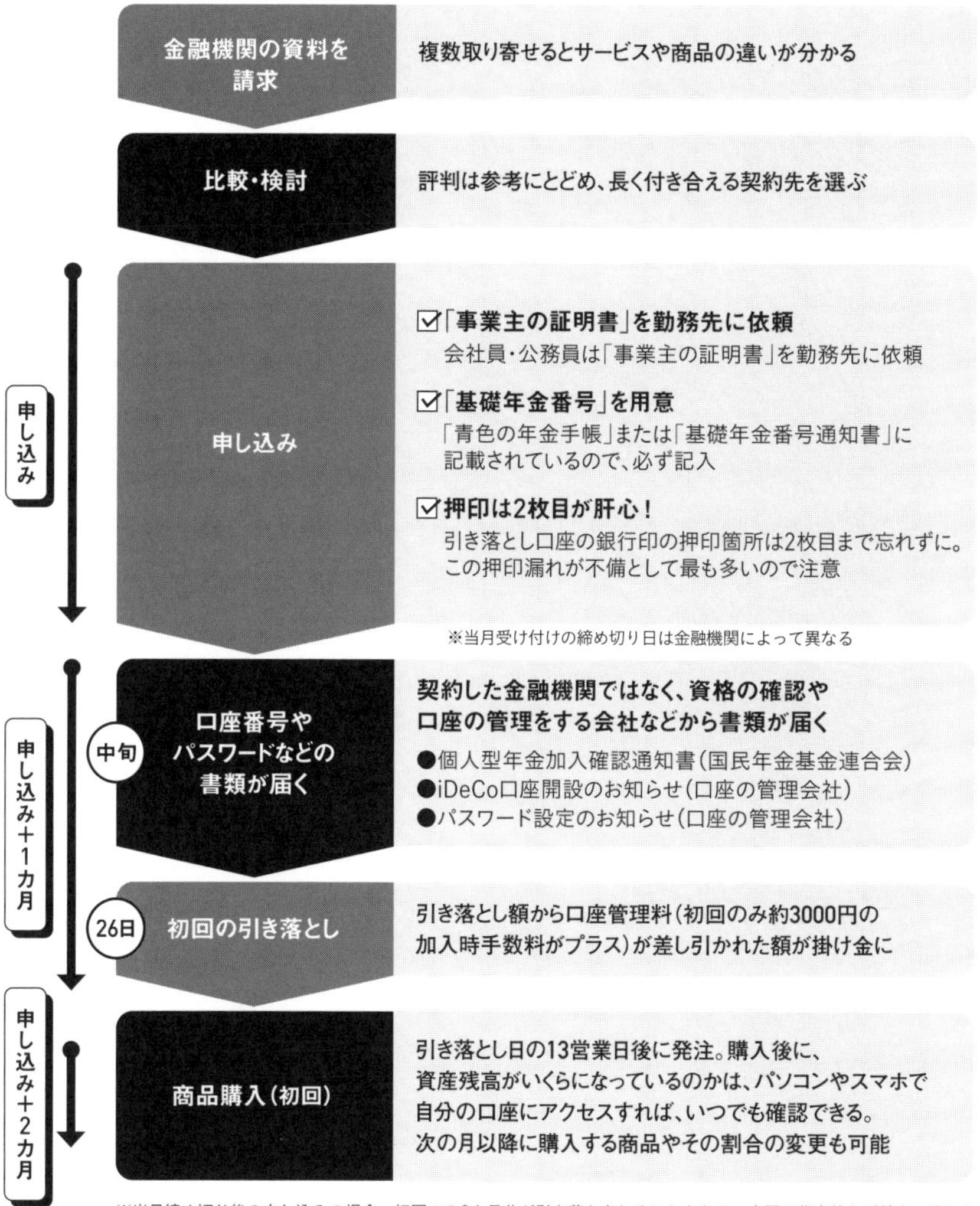

時期	ステップ	内容
	金融機関の資料を請求	複数取り寄せるとサービスや商品の違いが分かる
	比較・検討	評判は参考にとどめ、長く付き合える契約先を選ぶ
申し込み	申し込み	☑「事業主の証明書」を勤務先に依頼 会社員・公務員は「事業主の証明書」を勤務先に依頼 ☑「基礎年金番号」を用意 「青色の年金手帳」または「基礎年金番号通知書」に記載されているので、必ず記入 ☑押印は2枚目が肝心！ 引き落とし口座の銀行印の押印箇所は2枚目まで忘れずに。この押印漏れが不備として最も多いので注意 ※当月受け付けの締め切り日は金融機関によって異なる
申し込み＋1カ月 中旬	口座番号やパスワードなどの書類が届く	契約した金融機関ではなく、資格の確認や口座の管理をする会社などから書類が届く ●個人型年金加入確認通知書（国民年金基金連合会） ●iDeCo口座開設のお知らせ（口座の管理会社） ●パスワード設定のお知らせ（口座の管理会社）
申し込み＋1カ月 26日	初回の引き落とし	引き落とし額から口座管理料（初回のみ約3000円の加入時手数料がプラス）が差し引かれた額が掛け金に
申し込み＋2カ月	商品購入（初回）	引き落とし日の13営業日後に発注。購入後に、資産残高がいくらになっているのかは、パソコンやスマホで自分の口座にアクセスすれば、いつでも確認できる。次の月以降に購入する商品やその割合の変更も可能

※当月締め切り後の申し込みの場合、初回のみ2カ月分が引き落とされることもある。上記は代表的な手続きの流れなので、詳しくは申し込む金融機関から届くガイドブックなどを要確認

8 iDeCoに関する「10の誤解」

iDeCoについても、多くの人が誤解していると思われる10の事柄を取り上げて解説していきます。

誤解1

60歳まで引き出せないのはデメリット

iDeCoはあくまでも老後資金を準備するための制度です。60歳より前には色々なライフイベントがあって、その際に少しまとまった金額になっているiDeCoの資金を使いたい衝動に駆られることはあると思います。しかし、そこで使ってしまったら60歳の時には当然ですがその資産はありません。同じ額を準備しようとすれば、使ってしまった後、生活資金の中からこれまでよりもっと多く積み立てをしていく必要性に迫られます。

老後のお金の準備は大事だと分かっていても遠い将来のことなので、目先のこと、目の前に迫っている資金ニーズに比べれば**軽く考えてしまいがち**です。そういった人間の思考を踏まえて、後悔しないように、iDeCoには障害や死亡といった特別の事情がない限りは60歳までは引き出せないという仕組みが制度にビルトインされています。老後資金を**予定通り準備するためには、むしろメリット**と言えると思います。

誤解❷ 誰でも65歳まで加入できるようになった

そうではありません。91ページでも解説しましたが、iDeCoの加入資格の要件である国民年金被保険者として国民年金の保険料を払っているのは、65歳未満の会社員・公務員で**厚生年金保険料を払うような働き方**をしている人と、それ以外の働き方または無職で国民年金に任意加入している人だけです。さらに、公的年金を繰り上げ受給しておらず、iDeCoの資金も一切受け取っていないという条件を満たしている必要があります。

誤解❸ 投資がよく分からないからiDeCoはできない

iDeCoは運用商品として、投資信託以外に**定期預金のような元本確保型商品**もあります。ですから、投資が苦手という人もiDeCoであれば、積立時の所得控除や運用中の非課税メリットを受けながら老後資金づくりに利用できます。

誤解④

取扱商品が多い金融機関を選ぶのがよい

すべての人にとってよいとは言えません。もともと個人で株式や投資信託を売買していた人にとっては、商品ラインアップが豊富だと自分が買いたいと考えている商品が含まれている可能性が大きいので、よいと考えるのはよく分かります。

一方で、**初めて投資信託をiDeCoで買う**、あるいは会社の企業型DCでは投資信託を運用商品として選択しているけれど、個人として**証券口座を開設して取引をしたことがない**という人からすると、取扱商品が30本以上あって、例えば外国の株式に幅広く投資するパッシブ運用の投資信託だけでも5本や6本もあると、それらの商品の違いがうまく判断できず、どれを選んだらよいか分からないという状態になりかねません。そういう人には、自分が買いたい商品が含まれていることが大前提ですが、なるべく**商品ラインアップが絞り込まれた金融機関**で契約した方が、商品選びの際のストレスが少なくて済みます。

誤解⑤

ネット証券の方が営業されなくてよい

iDeCoは法令により、金融機関が**特定の商品を薦めることが禁止**されています。また、個人の氏名・住所・生年月日、iDeCoの資産額といった個人情報についても、本人の同意がある場合を除き、制度運営の**業務遂行に必要な範囲内でのみ使用する**ことが規定されています。つまり、自分が同意しない限り、iDeCoで提供した個人情報が営業などに使われることはありません。

そういった意味ではネット証券でも、対面証券でも、銀行でも、iDeCo口座を開設したからといって商品の売り込みなどがされるわけでないので安心してください。

誤解6 専業主婦（主夫）をしている間は利用しても意味がない

専業主婦（主夫）の場合、所得税・住民税を負担していないので、iDeCoで掛け金を積み立てたとしても、これらの税負担が軽減されるメリットは受けられません。しかし、積み立てを続ければしっかりと老後に向けた資産形成ができますし、加入期間が1年増えるごとに一時金の受取時の**退職所得控除を40万円分**(加入期間が20年超の場合は**70万円分**)増やすことができます。

また、子育て中の人であれば、保育料が下がるケースもあります。保育料は特別区民税・市町村民税に基づいて算出されますが、iDeCoの掛け金は世帯の所得から控除できるので、**所得割額が下がって保育料が下がる**ことにつながります。保育料が完全には無償化されていない0~2歳児限定のメリットではありますが、専業主婦（主夫）の期間も積み立ての継続を前向きに検討してはいかがでしょうか。

誤解❼

転職時に、拠出限度額が変わらなければ手続きは不要

いいえ、転職時に**勤務先情報の変更手続きが必要**です。iDeCoは働き方によって、また勤務先の企業年金制度などによって拠出限度額が変わります。加入する際に事業主から限度額に関する証明書を受け取り、他の書類と一緒に提出したと思いますが、自分の限度額がいくらで、現状の積立額に問題がないと証明してくれているのは勤務先です。

ですから、勤務先が変わった場合は、たとえ拠出限度額が変わらないとしても契約先金融機関に連絡して必ず登録変更手続きを行ってください。この変更が行われないと、限度額が正しいかどうか確認するすべがないため、**登録変更の督促**が来たり、最悪の場合は**積み立てがストップ**したりしてしまうので注意してください。

誤解❽

初心者なのでリスク限定型投資信託がよい

そうは思いません。「リスク限定」というと、安定的に増やしてもらえるイメージを抱く人が多いと思いますが、このタイプの投資信託は価格のブレであるリスクが一定範囲に収まるように、相場の動きや見通しに合わせて株式や債券などの組み入れ比率を機動的に変化させて運用する商品です。運用として任せていることが多いわけですから、運用コス

トである**信託報酬が高くつく**ことが多く、また**価格変動の要因も複雑**で、初心者が正しく理解するのは難しいためあまりお薦めできません。

むしろリスクをそれほど取りたくないのであれば、iDeCoの運用資産全体の**10〜15%程度**（自分でリスクを取れる範囲内）を**低コストの株式インデックス型投資信託**（パッシブ運用の投資信託）に投資して、残りは定期預金にする方が、リスクを抑える効果はリスク限定型投資信託と同程度で**運用コストは何十分の一にもなります。**

誤解⑨

商品を指定しなくても、金融機関があらかじめ決めている商品で運用を任せればいい

いいえ、**自分で運用商品を決めてください。** iDeCoでは加入者が運用指図をしなかった場合に、掛け金を預け入れる商品としてあらかじめ決められている商品（「指定運用方法」と言われます）で運用することも可能です。しかし、その商品での**運用結果は自らが負う**ことになります。指定運用方法が定期預金の場合は、現状の金利では増えることをあまり期待できません。また投資信託の場合も、値動きの要因がよく理解できないような商品に大切な老後資金を預け入れるのは、将来受け取る際に売るという決断を自らしなければならないことを考えると適切な選択とは言えません。

iDeCoで運用商品を選ぶことこそが、一喜一憂しながらその商品や投資への理解を

深めていく**資産運用のスタート地点に立つ**ことになります。商品の変更はいつでもできるので、チャレンジしてみてください。

誤解⑩

iDeCoは手数料がかかるから不利だ

口座管理などの業務に支えられてiDeCoの制度運営はなされているわけですから、それに対して**手数料がかかるというのはある意味当然**です。NISAでは口座管理料が無料となっていますが、これは本来かかっている非課税口座の管理・運営コストを、金融機関として違う形で回収する必要があるわけで、手数料が多く入る他の商品の提案やグループ企業の他のビジネスの利用の推奨などが当然のことながら行われます。

iDeCoでも、金融機関としての手数料を無料としているところではそういう懸念は否めません。しかし【誤解5】でも説明したように、iDeCoは法令で特定の金融商品を薦めることは固く禁じられていますし、個人情報についても「業務遂行のため」と利用範囲が厳格に定められています。つまり、個人情報の取り扱いについて本人が同意していない限り、金融機関から**不要な営業攻勢を受けることはありません**。

iDeCoで拠出の都度などにかかる手数料も、所得税・住民税を負担している人であれば、**掛け金全額の所得控除によって十分にカバー**される金額です。必要経費を払った上で、誰でも老後資金の準備を始めやすい制度となっています。

Chapter

4

投資信託＋株で資産を積み上げる

① 投資をする上で欠かせないもの

この章では、iDeCoとNISAを活用した投資の具体的な方法について取り上げます。初めに、投資対象となる投資信託と株式の「基本」についてお話ししたいと思います。iDeCoやNISAのことを知りたいと思って手に取った本なのに、どうして投資信託や株式の基本を学ぶ必要があるの？ と思う人もいるでしょう。既にそういう知識を十分に持っていて、自分の投資スタイルがあるという人は、このパートは読み飛ばしていただいても構いません。

逆に、投資なんてと思っていたけれども、**できれば少しは資産を増やして老後を迎えたい**、安心して老後を暮らしたいから、（あまり気は進まないけど……）**誰にでもできるという投資信託での運用を始めてみよう**、手始めに人気ランキング上位の投資信託でも買おうか、などと考えている人は必読です。無論、投資の本質はここで十分に説明できるほど簡単なものではありません。でも、多くのNISA本やiDeCo本がそのあたりのところにほとんど触れていないことに、私は強い違和感を覚えます。

投資で一番やってはいけないことは、**「自分が投資している先のことを知らないことだ」**というウォーレン・バフェット（〝投資の神様〟と呼ばれる米国の投資家）の有名な言葉がありますが、たとえ投資信託の積み立てであっても、その投資対象である株式や債券などの基本的な性質は最低限理解しておくべきでしょう。

短期で売ると、大きな上昇の流れを取り逃す

どうも投資をイメージする写真や映像というと、数字が刻々と動く株価ボードや、大きなディスプレーを幾つも並べて売買を繰り返しているデイトレーダーの取引の様子が使われることが多く、初心者や経験が浅い人ほど**「利益が出たらひとまず売る」という行動に出がち**です。

実際に、つみたてＮＩＳＡでは制度が始まった2年後の２０２０年に、同年の買い付け額の1割強に当たる４７４億円が売却されていました。この年は、春は新型コロナウイルスの影響で経済がストップし株価は大暴落しましたが、夏には米国のＩＴ（情報技術）関連企業を中心に相場が一気に回復しました。個人も投資した資産の評価損益がプラスになった時点でホッとして、利益確定してしまったのだと思われます。でも、**そこで得られた利益は僅か**だと思います。

投資というのは、文字通り「資金を何かに投じる」ことを言います。自分のスキルアッ

プのために、教材やスクールなどを利用して自己投資をするのも一つの投資です。そうした経験がある人も多いと思いますが、その際に、短期的に結果が出ましたか？ 多くの場合は、それなりの期間スキルを磨いて、それを仕事などに生かして価値と認められるまでには結構な時間がかかります。

私たちが投資信託や株式でお金を投じた企業が行っている事業も、短期的に結果が出るものも中にはあるとは思いますが、多くは色々な紆余曲折を経て世の中に商品やサービスとして出され、たくさんの人や企業に知ってもらい、必要とされ、感謝されるものであれば大きな売り上げとなり、**時間をかけて企業収益という結果に結び付きます**。そして今後も利益を生み続けると見込まれる会社には、資金が集まって株価は高くなります。

この流れを理解すると、社会人経験がある人であれば「長期投資」の意味が分かると思います。ただ、中には事業がうまくいかない場合もあって、そういった会社の株価は下がります。それでも、幅広い企業（株式）に分散投資する投資信託であれば、それらの企業で働いている人の努力によって、全体として見ればより良いもの・より良いサービスが世の中で作り続けられ、10年、20年といった単位で人々の暮らしも良くなり、投資信託の価値も向上していきます。

そうした大きな上昇の流れから短期で降りてしまうと、**次に来る相場上昇、株価上昇のチャンスを幾つか捨てる**ことになります。

日々の生活に影響を与えない金額で投資

過去数十年のデータを検証してみると、全世界の代表的な企業に分散投資するインデックス型投資信託を10年、20年といった期間に定額積み立てをした場合、**どの年から投資を始めてもほとんどのケースがプラス**です。ただ、10年間の積み立てでは、積み立て終了の時期がリーマン・ショックのあった2008年に当たる場合は3割以上の大幅な元本割れでしたし、その後も3年間（2009～2011年）は元本割れでした。20年間の積み立てでも最後の年のマーケットが与える影響は大きく、2008年と2011年は1割弱ではありますが元本割れでした。

その資産残高を元本割れのまま売らずに、マーケットが暴落から少し回復するまで**1年または数年待てる余裕が投資には必要**です。人生100年、運用できる時間は十分にあります。**日々の生活に影響を与えない金額**で投資を行うこと、暴落した時に心理的に売らずにいられる程度の金額で投資をするというのが基本です。

また投資経験をある程度積んで、相場の大きな変動も経験したことがある人なら、資金に余力を残していれば、相場の暴落時に追加で投資することでピンチをチャンスに変えるという選択肢も生まれます。

社会を支える企業を我慢強く見守る

投資と言うと、「何を、いつ買うか」にばかり意識が向かいがちですが、「買って」終わりではありません。**「持って値上がりを待って」「売る」ここまでがワンセット**です。長期間、我慢強く持ち続ける。そのためには「未来志向」が欠かせません。

これからも時代を引っ張り、世の中を支える企業がこれまでと同様にきら星のごとく現れ、世の中良くなるのだとポジティブに考えられることが長期投資には必要です。特にバブル崩壊後の日本株の長期低迷を経験している40～50代こそ、**日本株でも5倍、10倍の株価になった会社がある**という事実にも目を向け、社会を支えて羽ばたく企業を投資で応援していくべきです。

ネガティブな思い込みを捨てて、我慢強く投資先を見守る。世界中に分散投資するなら、世界経済全体を見守る。または、投資したことを忘れていられるぐらいの資金で投資し、思い出したように年に1回程度状況確認してみる。そういった姿勢・向き合い方で初めての投資に付き合っていただけたらと思います。

② 歴史に学ぶ投資信託との付き合い方

投資信託は、日本では現在約６０００本もの商品が販売されています。２０２２年は年間３２４本の投資信託が新規設定されていますが、一方で２９４本が**「償還」**といって、運用を終了して保有者の持ち分に応じた金銭が返還されました。

償還の多くは、東京五輪やＤＸ（デジタルトランスフォーメーション）といった旬のテーマに関連する話題の企業の株式を組み入れた投資信託です。設定する段階で投資対象の株価は既に上がっていて、**設定した時がほぼピークで、その後値下がりすることが多い**のです。そのテーマや関連企業に対する人々の関心が薄れるとともに株は売られ、新たな資金も入って来ませんから、投資信託の資産が運用困難なレベルに減ってしまう状態に追い込まれて償還となります。

そもそも設定時点で定められている信託期間が10年程度と短く、長期の運用には向きません。歴史を振り返ってみても、いわゆるテーマ型投資信託と呼ばれる流行のテーマに乗って運用される投資信託は、**大半が短命に終わっています。**

長期の資産形成に向いた投資信託を選ぶ

現在ある約6000本の投資信託を調べてみると、10年以上の運用実績があるのは2328本、20年以上となると712本しかありません（2023年9月22日時点。「ウエルスアドバイザー」の投資信託検索の結果から。ETF＝上場投資信託は除く）。この712本のうち約半数は、継続的に資金流入するiDeCoや企業型DCといった**確定拠出年金で採用されている投資信託**です。確定拠出年金を除いて、日本の投資信託の歴史には、長期保有し、さらに残高を積み上げて資産形成をしていくという使われ方も、それに向いた商品の開発も乏しかったことをうかがわせます。

だからこそiDeCoも新しいNISAも、資産形成に向かない投資商品を対象から除外する〝厳選機能〟が付与されているのです。そんな背景を考えても、これから資産形成に取り組むのであれば、これらの制度上で投資信託と付き合っていくのは良策と言えます。

具体的には、2024年からの新NISAでは長期の資産形成に資する投資信託のみを対象とするため、投資対象商品が株式を含めて幅広い「成長投資枠」においても、次の3つの条件を満たしていることを要件としています。

【1】信託期間（運用する期間）が無期限または20年以上であること

＝テーマ型の投資信託のような短期間の運用でない

【２】分配頻度が毎月でないこと

＝長期保有よる複利効果が見込みやすい投資信託である

【３】ヘッジ目的の場合を除き、デリバティブ（金融派生商品）取引による運用を行っていないこと

＝価格のサヤを抜く短期売買向きの投資信託でない

これらの条件に当てはまらないテーマ型投資信託や毎月分配型投資信託などは、過去において**長期的な資産形成には貢献してこなかった歴史がある**ことから、今回は除外されたのだと思います。

成長投資枠の対象となる投資信託商品は、運用会社などが要件を満たしているかを判断する仕組みで、投資信託協会（https://www.toushin.or.jp/）が取りまとめた一覧がホームページ上で公開されています。２０２３年9月1日時点で公表されている商品数は、投資信託が全体の４分の１程度の１６１６本、ＥＴＦ・ＲＥＩＴ（不動産投資信託）などが２７１本の計１８８７本となっています。

以降も２０２３年12月まで毎月第1営業日に、12月はさらに19日にも公表がなされて、２０２４年1月から対象となる商品が確定します。長期投資には向いていない３０００本以上の投資信託があらかじめ対象外になる見込みなので、選びやすくなると思われます。

つみたて投資枠(つみたてNISA)ではさらに厳選

新NISAの「つみたて投資枠」については、**従来のつみたてNISAの対象商品がそのまま引き継がれます。**長期だけでなく分散投資も実現できるよう、成長投資枠で課される要件に加えて、指定された指数に連動すること(インデックス型投資信託の場合)、信託報酬の上限、純資産総額や運用期間(アクティブ型投資信託の場合)などについても要件があります。それらを満たし、かつ金融庁に届け出をすることで対象商品として認められることになっているので、**かなり厳選されている**と言っていいでしょう。

2023年9月15日時点のつみたてNISAの対象商品は、インデックス型投資信託が209本と圧倒的に多く、指定インデックス以外の投資信託(主にアクティブ型投資信託)は34本、ETFは8本のみが対象です。

2018年にスタートしたつみたてNISAによって、**長期の資産形成には低コストのインデックス型投資信託**という大きな流れがつくり出されました。インデックス型が人気を得て資金が集まるので、運用会社の間で顧客獲得のための熾烈(しれつ)な低コスト競争が繰り広げられ、それがまた話題になって人気を高めるという循環が起こりました。

つみたてNISAの初年度は625億円ほどだったインデックス型投資信託の資産残高が、2022年末時点では**36倍の2兆円を超える**までに膨れ上がっています(金融庁の「NISA・ジュニアNISA口座の利用状況に関する調査結果」より)。投資信託全体に占める割合も高まって主流商品となりました。2024年から新NISAのつみたて投資枠にも引き継がれる対象商品の一覧は、金融庁の「NISA特設ウェブサイト」（https://www.fsa.go.jp/policy/nisa2/）で確認できます。

一方、iDeCoで利用できる投資信託は現在約700本です。こちらは商品の要件ではなく、商品を選定する各金融機関の業務に対して、**「老後に向けた資産形成に資する商品を利用者の利益を最優先して選ぶこと」**を確定拠出年金法の中で定めています。

時間をかけて老後資金づくりに取り組むことは、取りも直さず長期の資産形成ですから、iDeCoでもつみたて投資枠（つみたてNISA）の対象商品がラインアップされていることが多いです。本数的に最も厳選されているつみたて投資枠の対象商品を、**iDeCoでの投資候補とするのは合理的な選択**だと言えます。

iDeCoで利用可能な投資信託がつみたて投資枠の対象商品かどうかを調べるには、前章で紹介した情報サイト「iDeCoナビ」の「運用管理費用（信託報酬）で比較」のページが便利です（110ページに詳細とQRコード掲載）。商品一覧の上にある「つみたてNISA対象商品のみを表示」の部分にチェックを入れると、**該当する投資信託を絞り込んで表示**できます。

3 インデックス型投資信託で手軽に国際分散投資

インデックス型投資信託とは、ベンチマーク（投資信託の運用成績の良しあしを測る基準）として掲げる**特定の指数（インデックス）への連動を目指して運用**する商品です。これに対してアクティブ型投資信託とは、ベンチマークを上回る運用成果を目指すタイプや、ベンチマークを設けずに絶対的な利益の獲得を目指すタイプ、また市場平均よりもリスクを抑えることを目的として運用するタイプなどの商品があります。

インデックス型投資信託の魅力は、ベンチマークとする指数の対象になっている幅広い資産に**簡単に分散投資ができる**点にあります。例えば国内株式であれば、株式市場全体の動きを表す代表的な指数として「ＴＯＰＩＸ（東証株価指数）」や「日経平均株価」があります。これらの指数に連動するインデックス型投資信託を買えば、国内に上場する**幅広い企業の株式をまとめて保有するのと同じ投資効果**が得られます。

同じように、先進国株式なら「ＭＳＣＩコクサイ・インデックス」、新興国を含めた全世界の株式なら「ＭＳＣＩオール・カントリー・ワールド・インデックス」や「ＦＴＳＥグローバル・オールキャップ・インデックス」といった代表的な指数があり、これに連動するインデックス型投資信託があります。世界中の名だたる会社の株式を個人ですべて購入するのは無理ですが、**インデックス型投資信託であれば少額でもそれが実現できます。**

投資対象は株式だけでなく、国内外の債券やＲＥＩＴなどの指数に連動するインデックス型投資信託もあります。ベンチマークに連動するよう、その指数の構成銘柄に合わせて投資対象を保有するというマニュアルに沿った運用が原則ですから、例えればチェーン店の食事のように、どの店舗でも均一の味を比較的低コストで提供してくれる商品と言っていいと思います。

トレンドを外すことなく一定のリターンを期待

低コストで分散投資ができるという利点に加えて、右上がりの動きを続けてきた株式相場の後押しもあり、インデックス型投資信託はこの10年間で資産残高が8倍近い１００兆円（投資信託協会「資産増減状況　株式投信の商品分類内訳」より）となり、個人投資家に非常に人気を得ています。

分散投資という意味では、**地域に偏らずに世界中で活躍している企業に投資する投資信託**がまずは有力候補になると思います。米国のアップルやマイクロソフト、アマゾン、アルファベット（グーグル）、テスラといった皆さんもよく知る優れた成長企業の株式も、そのほとんどは投資信託を通じて保有できます。ベンチマークの指数を構成する企業やその構成比率は、各銘柄の時価総額の変化などによって定期的に見直されますので、5～10年もすればがらりと変わり、**世の中のトレンドを大きく外すことなく、一定のリターン**が期待できます。

しかし、インデックス型とはいっても、一過性のテーマに沿って企業を選別した**特殊な指数に連動する投資信託は危険**です。インデックス運用は、正確に言えばパッシブ（受動的）運用の一つの形態で、原理原則は広範囲でかつ高度に分散された銘柄群に、つまりマーケット全体に対して長期にわたって投資するものを指します。

その点、つみたて投資枠（つみたてＮＩＳＡ）の対象となる投資信託は、ベンチマークとする指数が、株式や債券などの幅広い銘柄による**マーケット全体の動きを表す指数に限定**され、コスト（信託報酬）の上限も定められています。投資をこれから本格的に始めようという人は、左の**図表４-１**で例を挙げたような、つみたて投資枠対象の代表的なインデックス型投資信託をまずは候補にするのがいいと思います。

図表4-1 つみたて投資枠（つみたてNISA）対象の指数と投資信託の例

対象資産	指数	投資信託（運用会社）	信託報酬
全世界株式	**MSCI ACWI** 日本を含む先進23カ国・地域と新興24カ国・地域の大・中規模の企業約2900社が対象	**eMAXIS Slim 全世界株式（オール・カントリー）** （三菱UFJアセットマネジメント）	0.05775%
		はじめてのNISA・全世界株式インデックス（オール・カントリー） （野村アセットマネジメント）	0.05775%
	FTSE GACI 日本を含む先進25カ国・地域と新興24カ国・地域の大・中・小規模の企業約9500社が対象	**楽天・全世界株式インデックス・ファンド** （楽天投信投資顧問）	0.195%
		SBI・全世界株式インデックス・ファンド （SBIアセットマネジメント）	0.1102%
国内株式	**TOPIX（東証株価指数）** 以前は東証1部上場の約2200社が対象だったが、2022年4月の市場区分変更を契機に、流動性の低い銘柄を中心に構成比率調整中	**eMAXIS Slim 国内株式（TOPIX）** （三菱UFJセットマネジメント）	0.143%
		＜購入・換金手数料なし＞ニッセイTOPIXインデックスファンド （ニッセイアセットマネジメント）	0.143%
		はじめてのNISA・日本株式インデックス（TOPIX） （野村アセットマネジメント）	0.143%
	日経平均株価 東証プライム市場の中で、流動性の高さと業種間のバランスを考慮して選定した225社が対象。時価総額加重で算出する他の指数と異なり、調整を加えた株価平均で算出するため、株価水準が高い銘柄の影響を受けやすい	**eMAXIS Slim 国内株式（日経平均）** （三菱UFJセットマネジメント）	0.143%
		＜購入・換金手数料なし＞ニッセイ日経平均インデックスファンド （ニッセイアセットマネジメント）	0.143%
		たわらノーロード 日経225 （アセットマネジメントOne）	0.143%
		はじめてのNISA・日本株式インデックス（日経225） （野村アセットマネジメント）	0.143%

注）信託報酬は税込み。2023年9月22日時点。MSCI ACWI＝MSCIオール・カントリー・ワールド・インデックス。FTSE GACI＝FTSEグローバル・オールキャップ・インデックス

4 運用スタイルに〝共感〟できるアクティブ型投資信託を選ぶ

アクティブ型投資信託は、インデックス型と違って**運用手法に決まった定義はありません**。多くはベンチマークとする指数を上回る投資成果を目指すという運用方針ですが、たとえ運用方針が同じでも、その投資手法は様々です。中には、ベンチマークすら設定していないものもあります。いわば非インデックス型の投資信託はすべてアクティブ型であり、高いリスクを取って高いリターンを追求するタイプだけでなく、インデックス型よりもリスクを抑えて運用するタイプなど実に幅広い商品があります。

アクティブ型投資信託は、運用会社が優秀なファンドマネジャーを雇い、高い成長性が見込める企業や株価が割安に放置されている企業を探し出す調査を必要とするので、**運用コストが総じて高くなります**。その上、いつも予想通りに相場や企業業績が動くとは限りませんから、**インデックス型よりも明らかに成績の良いアクティブ型**はごく一部というのが過去の実績です。ただ、投資対象資産のカテゴリーによって少し違いがあります。

国内株式では優秀なアクティブ型も多い

インデックス運用では、指数の対象になっていれば**成長があまり期待できない企業であっても投資する**ことになります。指数を構成するに銘柄ついて、業績や成長性の優劣によって頻繁に入れ替えが実施される〝自浄作用〟が強い米国株式の場合、敗者は自動的に指数（＝インデックス型投資信託の組み入れ対象）から外れます。

一方で日本の株式市場はというと、米国市場のような自浄作用がそれほど働いておらず、国内株式の代表的な指数であるＴＯＰＩＸも、最近まで東証１部の上場企業でさえあれば指数の対象になっていました。２０２２年４月の東証の市場区分変更を契機に、現在は流動性が低い銘柄を中心に構成比率を調整中ですが、指数としての実態はまだあまり変わっていません。

そういった意味では、国内株式を投資対象とするアクティブ型投資信託は、市場平均を上回る運用成果を狙うに当たって**ファンドマネジャーの活躍する余地が大きい傾向**にありました。つまり、投資候補として検討に値する優秀なアクティブ型が多いカテゴリーと言えます。また、国内ＲＥＩＴのように組み入れ候補となる銘柄が少ないカテゴリーも、優良なアクティブ型投資信託が比較的多いです。

個別の株式ほど集中投資したくはないけれど、自分の大切なお金をもう少し自分の考えに合った形で世の中に回していきたいと考えるのであれば、**運用方針や運用スタイルに共感できるアクティブ型投資信託を探す**というのがその解決策になります。アクティブ型投資信託の場合は、何に投資をするのか、どれくらい投資をするのか、それをいつ実行するのかといった判断はすべて運用者（ファンドマネジャーや運用チーム）にお任せです。

最近では、根底にある投資の考え方について熱心に説明を行う運用会社が増えています。また、投資信託の保有者に対して開く運用報告会で、ファンドマネジャーが報告に加えて質疑応答も行い、**その考え方や運用哲学に直接触れられる**ケースもあります。さらに、投資先企業を実際に訪問したり、投資先の経営者から直接話を聞いたりする機会を設ける投資信託もあります。こうしたことにより、インデックス型よりも**〝手触り感〟のある投資ができる**のが、アクティブ型投資信託の特徴です。

つみたて投資枠対象のアクティブ型をまず検討

ただ、個性が豊かで、本当に種類が多いので選ぶのが大変です。そこで、まずはつみたて投資枠（つみたてＮＩＳＡ）の対象になっているアクティブ型投資信託を最初の候補にしてみてはどうでしょうか。その対象となるに当たって、これまでの実績として**運用期間が5年以上**あり、その間**安定的に資金流入**していて、運用継続に不可欠な資産残高水準として**純資産総額50億円以上**という条件を満たしています。

図表 4-2 つみたて投資枠（つみたてNISA）対象の主なアクティブ型投資信託

投資信託（運用会社）	主な投資対象	純資産総額	信託報酬	設定年月
グローバル・ハイクオリティ成長株式ファンド（為替ヘッジなし） （アセットマネジメントOne）	世界株式	6090億円	1.65%	2016年9月
ひふみプラス （レオス・キャピタルワークス）	国内株式	5378億円	1.078%以内	2012年5月
セゾン・グローバルバランスファンド （セゾン投信）	世界株式・債券	4013億円	0.56%	2007年3月
セゾン資産形成の達人ファンド （セゾン投信）	世界株式	2758億円	1.34%	2007年3月
世界経済インデックスファンド （三井住友トラスト・アセットマネジメント）	世界株式・債券	2254億円	0.55%	2009年1月
ひふみ投信 （レオス・キャピタルワークス）	国内株式	1614億円	1.078%	2008年10月
のむラップ・ファンド（積極型） （野村アセットマネジメント）	世界株式・債券	1516億円	1.518%	2010年3月
ニッセイ日本株ファンド （ニッセイアセットマネジメント）	国内株式	1414億円	0.88%	2001年12月
フィデリティ・米国優良株・ファンド （フィデリティ投信）	米国株式	950億円	1.639%	1998年4月
年金積立 Jグロース （日興アセットマネジメント）	国内株式	731億円	0.902%	2001年10月
キャピタル世界株式ファンド（DC年金つみたて専用） （キャピタル・インターナショナル）	世界株式	532億円	1.078%	2016年4月
コモンズ30ファンド （コモンズ投信）	国内株式	516億円	1.078%以内	2009年1月
結い 2101 （鎌倉投信）	国内株式	496億円	1.1%	2010年3月
大和住銀DC国内株式ファンド （三井住友DSアセットマネジメント）	国内株式	451億円	1.045%	2006年10月
農林中金〈パートナーズ〉長期厳選投資 おおぶね （農林中金全共連アセットマネジメント）	米国株式	383億円	0.99%	2017年7月

注）信託報酬は税込み。対象商品のうち純資産総額（2023年9月14日時点）が大きい15本。つみたてNISAの指定対象外の指数（ダウ工業株30種平均、S&P500配当貴族指数など）に連動するインデックス型投資信託は除いた。世界経済インデックスファンドは国内外の株式・債券のインデックスを地域別のGDP（国内総生産）の比率を基に組み合わせるバランス型投資信託

対象となる投資信託は、２０２３年9月15日時点で34本（つみたてＮＩＳＡの指定対象外の指数に連動する商品も含む）しかありません。１５７ページの**図表４・２**に、該当するアクティブ型投資信託の中で純資産総額が大きい主な商品をピックアップしたので、参考にしてください。

アクティブ型投資信託を選ぶ際には、運用方針など商品のコンセプトがコンパクトにまとまっている「交付目論見書」や、運用成績・資産状況を確認できる「運用報告書」「月次リポート」などに目を通し、またウェブサイトの商品解説動画を見たり対面で実施されている説明会に参加したりして、納得・共感ができる商品を選んでください。その際には、5つの**P**（Ｐｈｉｌｏｓｏｐｈｙ＝**投資哲学**、Ｐｒｏｃｅｓｓ＝**投資プロセス**、Ｐｏｒｔｆｏｌｉｏｓ＝**組み入れ銘柄のポートフォリオ**、Ｐｅｏｐｌｅ＝**ファンドマネジャーなどの運用体制**、Ｐｅｒｆｏｒｍａｎｃｅ＝**リターンやシャープレシオなどの運用実績**）――の観点で確認しましょう。

大切なお金の運用を託した結果は、当然ながら自己責任です。こうした手間をかけたくないというのであれば、まずはインデックス型投資信託から始めるのがいいでしょう。

他の人がどんな観点で投資信託を選んでいるのかに興味があるという人は、ブログを開設している一般の個人投資家が、〝推し〟の商品に投票して投資信託を評価する「**投信ブロガーが選ぶ！ Ｆｕｎｄ ｏｆ ｔｈｅ Ｙｅａｒ**」のサイトで、商品ごとの推しコメントを読んでみるといいと思います。つみたて投資枠（つみたてＮＩＳＡ）の対象となっている人気のインデックス型投資信託や、一部のアクティブ型投資信託についてのコメントが色々とあって**商品選びの参考になりますし、投資の学びにも役立ちます。**

●投信ブロガーが選ぶ！ Ｆｕｎｄ ｏｆ ｔｈｅ Ｙｅａｒ ２０２２

https://www.fundoftheyear.jp/2022/

5 株式投資デビューのススメ

ここまで、ＮＩＳＡでもｉＤｅＣｏでも多くの人が運用商品として利用している投資信託についてお話ししてきました。しかし、従来の一般ＮＩＳＡ、２０２４年からの新ＮＩＳＡの成長投資枠では**株式も購入することができます**。

なぜ投資信託ばかりで、株を買わないのか？

もっとも、新ＮＩＳＡで積極的に株式投資をしようという話はあまり見かけません。これは一体どうしてなのでしょうか。恐らく理由は２つあるのではないかと思います。

【理由１】よく分からないから投資信託を買う

まず考えられる理由として、「**株は難しいけれど投資信託なら運用を任せられるから楽**」

という誤解がある気がします。でもそのロジックはちょっとおかしくないですか？　株式のことはよく分からないけれど、投資信託のことなら分かるのでしょうか。そうではないですよね。

投資で一番やってはいけないことは、「分からないものに投資する」ことなのです。株式投資の場合は具体的な企業に投資をするわけですから、どこに投資をしているかは明らかですし、事業として何をやっている会社かも分かります。

投資信託の中身は多くの場合、株式と債券です。そしてその株式や債券の価格が上がれば投資信託も値上がりし、また逆（の値下がり）もしかりです。原則として、**どうなったときに株式や債券の価格がどう動くのか、**くらいのことは最低限知っておくべきです。そういう理解を深める意味で、少しは株式投資をしてみるのも悪くないと思います。

【理由２】株式では長期・積み立て・分散ができないから

これはいささか勘違いが混じっています。株式投資は短期売買して利ざやを取るのも一つの方法ですが、米著名投資家のウォーレン・バフェットのように長期的に利益成長する企業の株式をじっくり持つのがやはり王道です。

新ＮＩＳＡでは非課税保有期間が無期限化したことで、**むしろ長期の株式投資に向いた仕組みになった**と言ってもいいでしょう。逆に短期売買には全く向いていません。売却してもその投資枠が復活して使えるのは翌年ですし、短期売買では往々にして損切りが必要な局面もありますが、NISA以外の投資による利益との損益通算ができないからです。

次に分散投資についてですが、確かに1銘柄だけにしか投資しないのであれば、それは分散投資とは言えません。1銘柄を2銘柄に分散することで投資全体としてのリスクは大きく下がり、3銘柄、4銘柄と増やすと**分散効果は一段と高まります**。ただし、銘柄数を増やせば増やすほどいいというわけではありません。国や地域、業種などを分けることを意識すれば、20銘柄くらいを超えてくると、分散によるリスク低減効果の高まりはほとんどなくなってきます。従って、個人投資家であれば**せいぜい10〜15銘柄程度を保有していれば十分**なのです。中には5銘柄くらいで十分だという意見もあります。

それに株式でも積み立て投資によるタイミングの分散は可能です。証券会社によって最低積立額は様々ですが、中には**月500円程度から株の積み立て投資ができる**場合もあります。仮に10銘柄に1000円ずつ積み立てれば毎月の投資額は1万円。取得金額ベースで1200万円まで使える新NISAの成長投資枠なら、何の問題もない金額でしょう。

つみたて投資枠では一部の投資信託とETFに対象が限られるので、どうしてもNISA=投資信託というイメージがありますが、このようにNISAを使って株式投資を始めるのは意外に有効だということが分かります。特に60代以上のシニア層がNISAを利用するのであれば、株式は悪くないと思います。詳しくは次節でお話しします。

⑥ シニア世代の株式投資のメリット

新しいＮＩＳＡを株式投資で利用するのは存外悪くないというお話をしましたが、私は中でも、特に**60代以上のシニア層に向いている**のではないかという気がしています。その理由は３つあります。

【理由1】知的好奇心を維持できる

シニア世代の投資の主目的は、積極的にリスクを取ってもうけようとすることではなく、**自分のお金の〝購買力〟を維持する**ことだと私は思っています。なぜなら、公的年金は物価・賃金の水準にある程度連動するものですが、自分の手元のお金はインフレ（物価上昇）によって価値が目減りしてしまうからです。

従って、年を取ってもコツコツと投資を続けることは非常に意味があります。購買力を維持するということだけであれば投資信託で構わないのですが、株式投資には投資信託にはない大きな効用があります。それは「**知的好奇心の維持**」です。

株式投資のヒントになることは身の回りに案外たくさんあります。リタイア後も株式投資をすることで、**世の中の変化に対して常に興味・好奇心を持つ**ことになります。それは精神的な若さを保つことにつながるでしょうし、新しいことを常に学び続けることで認知症の予防にも役立つというのが様々な医学的研究でも述べられています。自分の資産運用と精神的な健康の維持という2つの観点から、シニアにとっては投資信託もさることながら、少しでも株式投資をした方がいいのではないかと思います。

【理由2】〝時間〟のアドバンテージがある

2つ目の理由は、シニア世代が持っている〝時間〟というアドバンテージです。通常、時間的なアドバンテージを持つのは若者だと言われています。積み立てと運用によって資産形成にかけられる時間があるという意味ではその通りなのですが、ここで言う時間のアドバンテージとは、「**投資に割ける時間**」のことです。現役で働くうちは忙しくて、株式投資のような銘柄の調査や検討に時間がかかるものはあまり向いておらず、どうしても投資信託が資産運用の中心にならざるを得ません。

一方で、仕事をリタイアしたシニアなら時間はたっぷりとありますし、仮に仕事を続け

ていても現役バリバリの頃のように忙しくはないでしょうから、時間的なゆとりは多いはずです。そこで、投資しようと思っている**企業の事業や業績・財務を調べたり、投資戦略を考えたりする時間**は豊富にあります。そういった意味での時間的なアドバンテージは、シニアの強みと言えます。

【理由3】リスク管理も難しくない

ただ、分散投資が手軽にできる投資信託に比べて、株式投資はリスクが高いのではないかという心配をする人もいるでしょう。しかしながら、リスク管理というのは実はそれほど大変なことではありません。自分が保有する金融資産のうち、**どれくらいを株式や投資信託のようなリスク商品で運用するか、**その割合を決めることだけなのです。

また前節でも書きましたが、分散投資効果というのは必ずしも投資信託のように何十銘柄、何百銘柄も組み入れて運用しなければ得られないわけではありません。

166ページ**の図表4-3**のグラフをご覧ください。例えばある銘柄が暴落して半値になったとしましょう。もしその銘柄1つしか持っていなければ株式資産は半分になってしまいますが、他の銘柄にも分散して投資していれば、株式資産全体としての下落率は当然小さくなります。

グラフで分かるように、10銘柄持っていれば、そのうち1つが半値になって残りが全く

図表4-3 1つの銘柄が半値になった場合の株式資産全体への影響

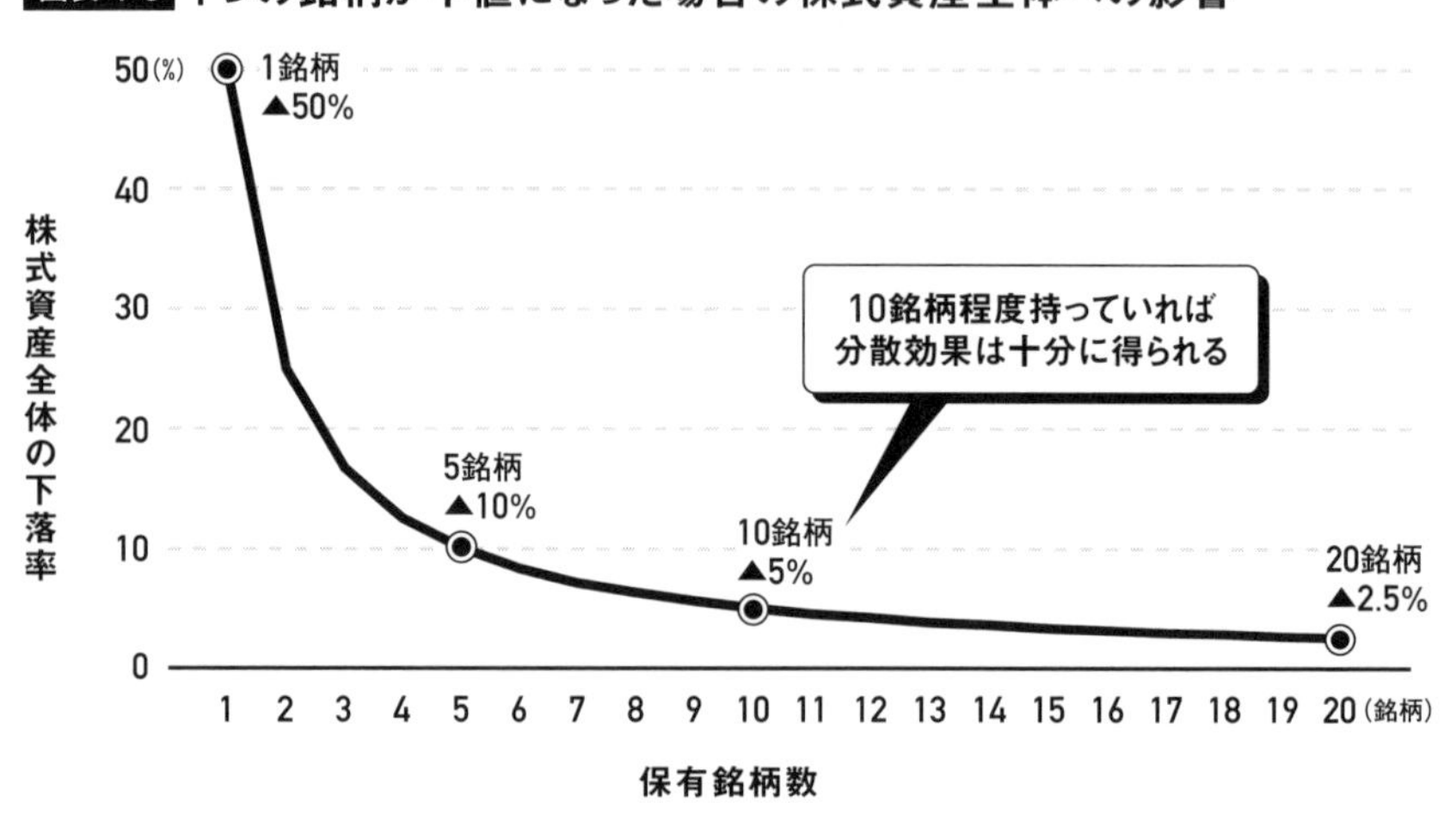

上がらず変化がなかったとしても、**全体の下落率は5％にとどまります。**では銘柄数を20に増やせばどうなるかというと、その影響は2・5％です。もちろんこれはあくまでも理屈なので、実際にこの通りになるわけではありませんが、少なくとも**やたらと多くの銘柄に投資しなくてもいい**ということは分かっていただけると思います。前節で述べたように、せいぜい10銘柄も持てば分散効果は十分に得られるのです。

新NISAの成長投資枠を活用した株式投資。シニア世代は少額からでもチャレンジしてみてはいかがでしょうか。

7 NISAで株式投資、銘柄はこう選ぶ

ここまでNISAでも株式投資は大いに利用すべきだと書いてきました。では具体的に投資する先、つまり購入する銘柄をどうやって選べばいいのかを考えましょう。

実はこれ、本格的に銘柄の選定をしようと思うとかなり手間がかかります。少なくとも企業の業績や財務内容を理解できるだけの知識が必要だからです。

実際、まともな株式投資の本を読むと、決算書の見方や業績・財務データの分析の仕方がきちんと書いてあります。本当に銘柄選びのための基本を説明しようとすると、**本一冊分くらいのボリュームが必要**になります。

さらに厄介なことに、そうやって緻密に業績・財務分析をしても、それは過去と現在のことでしかありません。将来のことは誰にも分からないのです。従って、勉強して投資をしたから必ず利益が得られるものではありません。

企業を見る3つのポイント

ただし大原則は、**ずっと利益が成長を続けると思われる企業に投資をする**ことですから、それをある程度見分けるコツはあります。一番シンプルで分かりやすい方法は、年4回発行されている企業情報誌「会社四季報」（東洋経済新報社）を使うことです。会社四季報の見方や使い方についても本がたくさん出ていますし、人によって重視する部分が異なることはありますが、私自身が会社四季報を見るときに**重視するポイントは3つ**です。

【1】営業利益

1つ目は**営業利益**です。企業の利益には様々な種類がありますが、本業のもうけを最も正確に表しているのがこの営業利益だと言っていいでしょう。それ以外の利益（経常利益、純利益など）は、例えば工場や土地を売ったことで得られる売却益だとか金融損益なども入ってきますが、それらの多くは一過性のものです。

やはり本業で利益を出し続けているかどうかが重要なポイントですから、会社四季報を見て過去5年間、**営業利益が着実に増加を続けているかどうか**を見ることが大事です。

【2】営業キャッシュフロー

２つ目は**営業キャッシュフロー**です。キャッシュフロー（以下、ＣＦ）というのはお金の動きのことで、これがプラスならお金が入ってきている、マイナスならお金が出ていっていることを表します。

企業のＣＦには３つの種類があります。財務ＣＦ、投資ＣＦ、そして営業ＣＦです。財務ＣＦがプラスになっているということは、借り入れや増資などで資金が入ってきていることを表し、マイナスであれば借りたお金を返していることを示します。投資ＣＦはプラスであれば資産を売却してお金が入ってきたことを表しますし、マイナスなら事業の投資対象の案件・物件に新たにお金を投下したことを示します。従って、財務ＣＦと投資ＣＦの場合はプラスだから良いとかマイナスだから悪いなどとは言えず、その企業の活動の状況によって判断せざるを得ません。

ところが営業ＣＦだけは、**絶対にプラスになっていないとマズい**のです。なぜなら営業ＣＦがマイナスということは、売り上げがあってもコストがかかり過ぎて赤字になっていて、お金（キャッシュ）が入ってきていないということだからです。従って、**営業ＣＦが継続的にプラスを確保できているかどうか**を見ておくことが大事です。

さらに言えば、企業会計上の利益については企業の独自ルールを決めることが一定程度認められているので、その数字が必ずしも実態を表しているとは限りません。一方、ＣＦは実際のお金の動きなので実態を正直に表します。だからこそ、営業利益だけではなく営業ＣＦも見ておくことが大切なのです。

【3】ROE（自己資本利益率）

そして3つ目がROEです。Return On Equityの略で、自己資本利益率とも言います。その計算式は、

ROE（％）＝当期純利益÷自己資本×100

です。

割り算の分母が自己資本（株主資本）、分子が当期純利益（税引き後利益）なので、**株主が出した資本を使って、どれだけ利益を効率よく生み出しているか**を表す数字です。「経営の効率性」を測る代表的な指標とされています。この指標は必ずしも有効とは言えないという意見も一部にありますが、専門的に銘柄を分析するプロの投資家ならいざ知らず、一般の個人投資家であれば、企業の稼ぐ力を表すROEを一つの基準として投資することは問題ないと思います。

日本の上場企業の平均的なROEは**現在9％程度**ですが、米国では**その倍の18％くらい**あります。私は自分で株式投資する銘柄を選ぶ際には、ROEが少なくとも15％、できれば20％以上の企業を候補にしています。

例えば、トヨタ自動車（東証プライム・7203）の過去5年間の実績を見てみると、コロナ禍で一時落ち込んだ営業利益が2022年3月期には急回復し、3兆円に迫る勢い

でした。2023年3月期は資材価格の高騰などもあって、前の期より9％減の2兆7250億円になりました。一方で潤沢な営業CFは高水準を維持しており、ROEは10％前後と日本の大企業としては優等生の数字となっています。

これらの3つの数字は会社四季報にすべて記載されているので、簡単に知ることができます。本業でしっかりと稼ぐ力があり、効率よく利益を生み続けることが期待できそうな企業に長期投資するのが、やはり株式投資の基本となります。少なくともこの程度の数字は確認し、**同業他社と比較したり、過去の数字の推移と株価の動きを見比べたり**するといいでしょう。

自分が感動した商品やサービスに注目

ここまでは数字の上での銘柄選びの方法です。投資はお金の勘定の話ですから、数字が大切であることは言うまでもありません。

一方で、企業の本質というのは「**世の中の多くの人が持っている課題を解決する**」ことにあります。様々な課題を解決してくれるからこそ、誰もがその企業の製品やサービスを購入・利用し、結果として企業の利益が上がっていくわけです。そうだとすれば、一人の生活者として**自分が素直に感動した商品やサービスを扱っている企業に投資をする**、というのも良い方法だと思います。

具体例を挙げてみましょう。私たちの多くが使っている「iPhone」の初代が発売されたのは2007年です。その年に米国のアップルの株を買っていれば、以降の16年間で**株価は約60倍**になっています。

iPhoneが登場した時、私たちは大変驚きました。電話、パソコン、スケジュール帳、メモ帳、音楽プレーヤー、カメラ、時計、計算機、ゲーム機といった様々な道具が、手のひらに乗る大きさの1台で持ち歩けるようになったからです。**これまでになかった利便性に誰もが素直に感動した**と思います。

故スティーブ・ジョブズの「誰でも自由にいつでもコンピューターを持ち歩けるようにしたい」という思いが実現された、素晴らしい商品。その素直な感動があったからこそ、アップルの業績は大きく伸長し、株価も60倍になったのです。もし16年前に100万円投資していたら、現在は6000万円になっています。

これは米国だけの話ではありません。日本でも例えば、ファーストリテイリング（東証プライム・9983）という会社があります。日常使いの衣料として「ユニクロ」の製品が私たちの生活に入ってくるようになったのは2000年代半ばです。その頃からだと、同社の**株価は15倍以上**になっています。手ごろな価格の割に品質が高いので、私も日常的にユニクロの服を着ています。最初に使い始めた時に、満足感がとても高かったことを覚えています。

繰り返しになりますが、**企業の本質は世の中の課題を解決すること**です。アップルは「誰もが持ち運びできるコンピューター」を実現しましたし、ファーストリテイリングは「安くて質の良い日常の衣料品を提供する」ということで多くの人の課題を解決しました。だからこそ、業績が上がって株価も飛躍的に上昇したのです。

私たちの日常で感じた素直な喜びや感動があれば、それを提供してくれている企業はどこだろう？ 他社がすぐに真似できない独自性があるものだろうか？ そう考えることによって、**長期投資のヒントはいつでも得られる**と言っていいでしょう。

Chapter

5

世代別の NISA＆iDeCo活用法

1 ＮＩＳＡもｉＤｅＣｏも若者だけのものではない

世の中にたくさん出ているＮＩＳＡやｉＤｅＣｏの本を読むと、あるいはそれらに関する新聞や雑誌の記事、コラムを見ると、ほぼ必ず書いてあることがあります。それは、ＮＩＳＡもｉＤｅＣｏも「できるだけ早く始めなさい。できれば20代から始めるのがベストです」ということです。

これは、決して間違っていません。資産形成の時間を長く取ることで、**①経済と市場の成長に伴う投資成果を享受できる、②価格変動リスクを平準化ができる、③複利効果で資産が増大する**、といった効果が期待できるからです。これらの効用は、別にＮＩＳＡやｉＤｅＣｏに限りません。投資や資産形成というものはすべて、早く始めるに越したことはないというのは、その通りです。そしてＮＩＳＡやｉＤｅＣｏでは長期間にわたって運用益非課税のメリットを得られるわけですから、20代から始めるのがいいのはもちろんです。

では、既に50代とか60代という年齢になっている場合、ＮＩＳＡやｉＤｅＣｏを始めるにはもう遅過ぎるのでしょうか？ 今からやっても仕方がないのでしょうか？ いいえ、決してそんなことはありません。実は、**ある程度の年齢になったからこそ有利になるメリットや使い方**ができるようになるのです。

この章では、そんな50代、60代の人にとって有利な使い方、いやむしろそういった世代だからこそ可能な、若者にはできない使い方を紹介していきたいと思います。実際に、上の世代でもこれらの制度を利用している人はたくさんいます。

また、住宅ローンや子育て費用などと**何かと出費が多い40代についても、どこから手を付けたらいいのか**を紹介していきます。ＮＩＳＡとｉＤｅＣｏの使い方のヒント、ぜひ参考にしてください。

2 50代以上にとってのNISAとiDeCo

50代に入ると、資産形成の目的は自らの老後資金準備に重点を移していくということになるかと思います。そして50代になると、将来もらえる年金や退職金などもおおよその金額を把握が可能で、1章でお話しした**老後のお金の〝見える化〟**がしやすくなります。

実際に収支のキャッシュフローを作ってみると、いくら長生きしても支払われ続ける公的年金が、老後生活を支える最も大きな柱であることが分かります。2004年に決まったマクロ経済スライド（現役世代の人口減少や平均余命の伸びを踏まえて年金給付の伸びを抑制する仕組み）による調整が当面はあるものの、今後インフレになっても物価・賃金にある程度連動するので安心です。

ただ、その公的年金を受け取るまでのつなぎ、あるいは年金に上乗せして余裕のある老後生活にするためのお金が必要です。この不足分を補う「**融通が利くパズルのピース**」を準備するために、税制優遇があるNISAやiDeCoを活用して資産をつくり、老後に取り崩して使っていくということになります。

いつ、どれくらい使うかをある程度イメージしながらお金を準備すれば、目標に到達した時点で安心が得られます。では、具体的にどうすればいいか。現役時代の生活と違って、60歳以降の生き方や働き方は様々です。

何歳まで働くのか、公的年金を何歳から受け取り始めるのか、退職金や企業年金がある場合にその受け取り方はどうするか、など、**定年後のお金と生活に関する組み合わせは無限にあります。**多くの人は、何が一番いいか？　とか、どうすれば一番得か？　という答えを欲しがりますが、人によって異なるので唯一絶対の正解というものはありません。

公的年金を受け取るまでの穴を埋める

また、すべてにおいてパーフェクトなプランというものはなく、何かを選択すればそれ以外の何かは諦めなければなりません。もろもろ考えた上で、自分にとって**最も満足で納得のいくパズルを組み立てる**ことが必要なのです。

例えば公的年金の受給開始を70歳まで遅らせて、受給額を65歳から受け取り始めるよりも42％増やすというのは、老後の暮らしを安定させて長生きリスクに備えるにはとてもいい方法（42ページ参照）なのですが、そのためには**70歳まで公的年金を受け取らなくても済むように**自己資金を手当てする必要があります。

70歳までフルタイムに近い働き方ができればそれが一番いいのでしょうが、もし65歳で完全にリタイアするのであれば、その後の5年間の生活を賄うための資金は用意しておかなくてはなりません。その最も有力な手段はｉＤｅＣｏでしょう。

同様に60歳で完全に仕事を引退する場合は、公的年金の受給開始年齢である65歳までの5年間の生活費が必要になります。もちろん公的年金を繰り上げて60歳から受け取ることも可能ですが、その場合は**受給額が最大で24%減ります**から、暮らす上で上乗せする資金が必要になるかもしれません。こういった埋めるべき穴の部分を補うためのピースとして、ＮＩＳＡやｉＤｅＣｏを活用するのが基本となります。

もちろん、現在ある資産や将来受け取れる年金、退職金で老後の暮らしは安心だという人は、ぜひ人生１００年を豊かに楽しむためのお金をｉＤｅＣｏやＮＩＳＡで育ててください。**大きく育てば、大きな楽しみが待っています**から、ワクワクしますね。

3 50歳から始めるなら成長投資枠を積極的に活用

NISAでの投資は若いうちから始めた方がいいというのはその通りですが、50歳、60歳になってからでも決して手遅れというわけではなく、それなりの使い方やアドバンテージがあるというのは本章の初めに述べた通りです。では、65歳や70歳になったときに必要な資産をつくるために、50歳からどうやって新しいNISAを使えばいいのかを考えてみましょう。

なんといっても、投資に当たって最も有効に活用すべきなのが、**運用資金額を早期にキャッチアップするための「成長投資枠」**でしょう。中には、成長投資枠は株式投資が中心ではないか？ とか、一度に大きな額をまとめて投資するための枠では？ と考えている人がいるかもしれませんが、そんなことはありません。成長投資枠でも、つみたて投資枠と同様に投資信託を購入したり、積み立て投資をしたりできます。そこで、ここでは具体的な資産形成の方法について考えます。

50代になると、**資産形成の目的は「老後」がメイン**になると思いますので、**まずはiDeCo**で拠出限度額に近い積み立てを行い、さらにその上乗せとして、投資に回してよい金額の範囲で新NISAの2つの枠を活用していきます。基本は、つみたて投資枠を利用した毎月の積み立てです。

例えば、頑張って毎月5万円ずつ積み立てると、1年間で60万円の投資額になります。毎月の積み立てではなく、ボーナス時期に30万円ずつ年2回でも構いません。これを**50歳から70歳まで20年間続けると、積立総額は1200万円**となります。毎月5万円の原資は、月々の預金残高がそれくらい増えている人ならそれを投資に回せばいいですし、それでは足りない人なら携帯電話のプランや保険契約を見直すとか、もし配偶者が現在働いていないなら、パートやアルバイトをしてもらうという手もあります。

成長投資枠に数年間で資金を追加投入

一方で、50歳ともなればこれまでに貯蓄をしてきた分があるでしょうから、例えば、満期になる定期預金を**毎年200万円ずつ3年間、あるいは毎年100万円ずつ6年間**投資に回して、成長投資枠を使ってキャッチアップを図ります。成長投資枠は年間投資可能額が240万円と大きいので、そうした使い方が可能です。

こちらも、まとまった金額を年1回で投資するというよりは、何回かに分けて積み立てる設定にした方が買い付けるタイミングの分散になりますし、手間もストレスも少ないのでお勧めです。

この〝キャッチアップ投資〟の金額は、この例では600万円となります。前述のつみたて投資枠の積立総額1200万円と合わせて、新ＮＩＳＡの**非課税保有限度額1800万円（取得金額ベース）をすべて使う**ことになります。

［つみたて投資枠］月5万円積み立て×20年間＝1200万円
［成長投資枠］年200万円×3年間（年100万円×6年間）＝600万円
↓
投資総額 1800万円

仮に毎月5万円、50歳から3年間は年200万円も上乗せして投資すると、投資元本の1800万円は70歳時点でどれくらいの時価評価額になるでしょうか。年率4％で運用できたと仮定すると、その金額は**約3098万円**になります。これをもし今から20年前にさかのぼって始めていれば、ＴＯＰＩＸに連動した投資を続けたとして積み立てでの運用利回りは年率**7・75％**（2003年7月～2023年6月の実績）、200万円ずつ投資した資産も3倍程度になって、評価額は**約4600万円**と大幅に増えています。

50代のうちに手元資金を積極的に投資

ここでのポイントは、新たに投資をするのはつみたて投資枠の毎月5万円だけで、成長投資枠を使う分の600万円は**これまでにためてきたお金を投資に回す**ということです。

実際に、日銀の金融広報中央委員会の調査によれば、2022年時点で50代の世帯（世帯人数2人以上）が保有する平均的な金融資産額は1684万円となっています。非常に大きな資産を持つ人も中にはいるため、平均値というのは実態に照らすと高めに出がちです。ただ、同調査ではちょうど真ん中の数字、つまり中央値で見ても810万円ですから、50代の人がこれまでにつくった金融資産から600万円を投資に回すというのは、ある程度現実的な話と言っていいと思います。

少しでも**運用する時間が長く取れる50代のうち**に手元資産を積極的に投資に回すことを想定していますので、その結果、定年時に手元にある現預金が少なくなっているようであれば、退職金はいざというときの資金として投資には回さず、定期預金などに置いておくようにすればいいでしょう。

若い人に比べて、50代や60代がアドバンテージを持つのは、既にある程度の貯蓄を持っているということにあるのです。ここでは1800万円の非課税保有限度額をすべて使い切るケースを紹介しましたが、これはあくまでも限度額であって、**使い切らなければなら**

ないわけでは決してありません。

ｉＤｅＣｏの他に積み立てられるのが月2万円というのであればその範囲で、預金から投資に回せる金額が３００万円しかないという場合もその範囲で、無理なく利用していけばいいでしょう。

4 60歳からでも始めて積み立て続ければOK

次は60歳からのＮＩＳＡの活用法です。投資といえば「長期の構え」が必要、という考え方が世の中に浸透しつつあります。そうだとすると、もう60歳になってからだと遅いのではないか？ 長期投資というけれど、いつまでやればいいのか？ といった疑問を持つ人もいると思います。

そんな人に、私なりの答えをずばり言いましょう。

問い：長期投資というけれど、いつまでやればいいのですか？
答え：期限はありません。死ぬまでずっと続ければいいのです。
問い：それでは、いつ現金化すればいいのですか？
答え：お金が必要な時に、必要なだけ売って引き出せばいいのです。

いかがでしょう。あっけないほどシンプルな答えだと思いませんか。そもそも、**積み立て投資に期間を区切る必要はありません。**続けられる限り、ずっと続けていけばいいのです。売ることについても、多くの人は「いつ売るのが一番いいのか？」ということばかり考えていますが、いつがベストの売り時なのか、すなわちいつが高値なのかなんて誰にも分かりません。だから答えは簡単で、お金が必要な時に必要なだけ売ればいいのです。

最近、資産の**定率引き出し**（残高の一定率を売却して定期的に受け取る）という方法も注目されています。生活のために毎月お金が必要なのであれば、そういう引き出し方をすればいいでしょう。生活自体は年金や働いたお金で賄えるというのであれば、旅行や家の改築、クルマの購入といった**少しまとまったお金が必要になった時に引き出せばいい**だけのことです。

根拠のない老後不安は抱えないで

ちなみに私の夫は現在71歳ですが、60歳で会社を定年退職した頃から積み立て投資を始めて、現在も続けています。たまに夫婦で海外などに旅行へ出掛けますが、その際には積み立てている投資信託を売却して、そのお金を使っています。

相場の暴落があれば、その年は近場に1泊2日くらいの旅行に変更になることもあります（笑）。本人は90歳までに自分のお金は使い切ると言っていますが、それはたぶん無理で、いくらかは残ると思います。別に無理して使い切る必要もありませんが、根拠のない老後の不安を抱えて**お金を使わずじっとしているのもばかばかしい話**です。

シニアにとってＮＩＳＡは、そうした楽しみの原資となる資産を管理する器として活用するのが理想ですし、自然だと思います。

5 退職金でNISAを利用する

新NISAの年間投資可能額は360万円。さらにその枠の中でスポット（一括）購入が可能な成長投資枠は240万円が限度ですから、「退職金でNISAを利用する」といっても、あまり向いていないのでは？と思う人は多いと思います。どうも退職金の運用というと、それをまとまった金額のまま運用するイメージを持つ人が多いのですが、特にこれまで投資をしたことがない人であれば、**まとまったお金で投資を始めるのはやめた方がいい**でしょう。

投資で最も大切なのは、知識でもなければ勘でもありません。**メンタルの強さ**です。資産の価格が上がったときに有頂天にならず、下がったときに怖がらない気持ちでいられるかどうかがポイントなのです。

でも、投資経験がない人に「メンタルを強く持て」と言ってもそれは無理でしょう。そのためには、少しずつ投資を体験して小さな失敗を重ねていかないと駄目なのです。

ですから、退職金を一度にまとめて投資するのは絶対にやめるべきだと思います。退職金で投資を始めるのであれば、**積み立てで少しずつ始めればいい**のです。全くの未経験者なら最初は月1万円くらいで始め、徐々に積立額を増やしていけばいいでしょう。

ある程度の投資経験がある人でも、退職金をすべて一度に投資するのは慎重に考えた方がいいです。なぜなら、退職金というのは多くの人にとって余裕資金などではなく、**老後の生活のための大切なお金**だからです。だからといって、何もせずに預金で置いておいたのでは、インフレによる価値の目減りを防げません。だから、NISAで少しずつ積み立てながら投資することを考えるべきなのです。

積み立て&時々の利益確定で資産を増やす

具体的な方法を紹介しましょう。この方法はあくまでも一例であり、これが最善策というわけではありませんが、参考にしながら自分に向いた方法を考えてもらえればいいと思います。

まずは、退職金は普通預金に一旦すべて入れておきます。その中から、毎月30万円ずつ積み立てで投資をすると、新NISAの年間360万円の投資枠（つみたて投資枠120万円＋成長投資枠240万円）をフルに使えます。こうすると、**非課税保有限度額の1800万円までは5年で到達**します。積立額が毎月20万円なら7年半、毎月10万円なら15年です。最初は少額から始め、金額を増やしていく方法もありです。

そしてここがポイントなのですが、積み立てをしている間や限度額に達して運用をしている間には相場が大きく上昇することもあります。そんな場合は**いくらか売却して、そのお金を安全資産（預金や個人向け国債など）に入れておきます**。投資元本を上回っている額ぐらいは売却してもいいでしょう。売却した分の投資枠は翌年になると（取得金額ベースで）復活するので、そこで状況に応じて再度投資をします。これによって**安全資産が徐々に積み上がる**一方で、ＮＩＳＡの投資総額は枠の復活と再利用により１８００万円を上回ることになります。この方法なら、退職金がまとまった金額であってもＮＩＳＡを十分に活用できるでしょう。

こうして言うのは簡単ですが、実際には「売るべきかどうか」「どれくらいになったら買えばいいか」を**的確に見極め、実行するのはなかなか困難**です。ですから、購入はあくまでも積み立てで機械的に続けるのがいいでしょうし、売るのはお金が必要な時が第一で、そうでなければ「3割以上値上がりした場合にだけ売る」などと自分なりのルールを決めておくのが現実的だと思います。また、投資に回してもいい金額を意識して無理をしないことは、生活・心の平穏・運用成績の安定のために大切です。

6 何かと出費が多い40代はどうする？

40代は家庭を持つ人だと、住宅ローンの返済や子供の教育費といった大きな出費が重なりがちです。若い頃よりも収入は増えているはずなのに、積み立て投資をする余力に乏しい時期となります。

無駄な支出がないか、家計簿を付けて確認

投資に回す原資がなければ、積み立てをすることができません。一方で子供の教育費の山が越えた後から積み立て開始となると、積立期間も運用期間も短くなってしまいますから、できれば少しでも早く始めておきたいところです。

この世代は共働き世帯も多くて収入が多い、つまり支払可能額が多いので、**支出の中に無駄な出費が紛れている**傾向があります。家計簿を付けている人はそれをあらためて確認し、付けていない人はこの機会にぜひ付けるようにしてください。

コロナ禍での在宅生活の際に幾つも契約した動画視聴サービス、娯楽コンテンツサービスなどはありませんか。今もすべて必要でしょうか。ほぼ利用していないにもかかわらず、サブスク的に料金を支払っているとすれば無駄な支出と言えます。他にも、あまり通っていないスポーツクラブの会員費など、**自分が効用をあまり実感できていない固定費**もあるかもしれません。またスマホや光熱費の料金プランの見直し、保険契約の見直しも検討したいところです。

最近はクレジットカードの利用明細を紙で郵送してもらうと追加料金がかかるようになってきているので、支払いの中身をよくチェックしていないという声もよく聞きます。ぜひ、カード会員向けのウェブサイトやアプリで毎月の明細をチェックして、こういった無駄を見つけてください。そうして無駄を発見したら即、解約やプラン変更をして、その1万円なり2万円なりを**自分たちの将来のための積み立て原資**にしてください。

保有資産のうち、投資に回せる預金などはないか

積み立て原資は毎月またはボーナス時の収入だけではなく、**既に保有している資産の中にもある**かもしれません。子供の大学進学費用など使う予定がある資金、半年分や1年分の生活費などの緊急費用に充てる資金を除いて、寝かせているだけの普通預金や間もなく満期を迎える定期預金などがあるとすれば、それを原資にＮＩＳＡやｉＤｅＣｏで投資

に回していくのも一つの方法です。

老後資金を準備することが目的であれば、まずはｉＤｅＣｏでの積み立てをスタートし、さらに余力があればＮＩＳＡで積み立てることをお勧めします。収入が上がって所得税の税率が高くなっているケースも多い40代にとって、ｉＤｅＣｏの積立額がすべて所得控除の対象になることで得られる**所得税・住民税軽減のメリットは少なくありません**（１０５ページ参照）。積み立て投資をしている期間に限られるメリットですから、なるべく長く享受したいものです。

40代で独身であれば、給与が上がったぶん経済的には余裕がある時期だと思いますので、50代のＮＩＳＡの使い方のところ（１８１ページ参照）で紹介したような老後資金づくりのスパートを、この時期からかけていくのが理想です。

つみたて投資枠と成長投資枠の使い分け

新ＮＩＳＡの２つの投資枠の使い分けという意味では、枠の大きさ（投資可能な限度額）が異なるので、**積み立て（買い付け）したい金額に応じて使い分ける**のが基本です。特に50代、60代の人は既に保有しているまとまった資産を投入できる可能性が高いので、つみたて投資枠の年間１２０万円では収まらず、成長投資枠（年間２４０万円）も使って投資することになると思います。転職の際に支払われた退職一時金、相続で手にしたまとまった資金など、突発的に入った大きなお金も成長投資枠が使い勝手のいい受け皿となります。

もう一つは、**株式を投資対象とするなら成長投資枠でしか買えません**し、つみたて投資枠の対象商品にはなっていない投資信託やＥＴＦを購入したい場合も成長投資枠で購入することになります。逆に、つみたて投資枠の対象商品になっている投資信託やＥＴＦは成長投資枠でも購入可能です。

つみたて投資枠に引き継がれるつみたてNISAの対象商品は徐々に増えて、2023年9月15日現在約250本（ETF8本含む）となっていますが、長期・積み立て・分散に適した投資信託として、日本で販売されている約6000本のうち**4%程度にまで絞り込まれた商品群**です。投資初心者や、投資対象についてあまり時間を割いて考えたくないという人は、この中から検討するのがいいでしょう。

成長投資枠でも積み立て投資を基本に

商品を買い付ける方法は、つみたて投資枠はもちろん、成長投資枠を含めて「積み立て」で機械的に買う仕組みを利用するのがいいと私は思います。購入タイミングの分散を図ることができて、購入する際に**「今が買い時か」と悩んだり「昨日買えばよかった」みたいに後悔するストレスも避けられます。**

特に投資信託は、買い付け時に「価格がいくらだったら買う」という指し値での購入ができないので、積み立てが向いています。成長投資枠でしか買えない株式でも、株式累積投資（るいとう）や単元未満株取引などの仕組みで積み立てができる証券会社があります。

もっとも株式では多くの場合、自分で数量と価格を決めて買い付け注文を出すことになります。その際には、長期的に成長しそう、利益を上げ続けてくれそうと思える銘柄であれば、**タイミングをあまり気にせずに買うのがいい**と思います。「株価が割安になったら買おう」などと思っていると、永遠にそのタイミングは来ないかもしれません。

短期の利益確定に走らないように注意

これまでのＮＩＳＡの利用状況を金融庁の公表データで見てみると、一般ＮＩＳＡはもとより、つみたてＮＩＳＡでもそれなりの金額の資産が毎年売却されています。２０２２年の年間の売却金額は95億円で、買い付け額の７％強に当たる数字です。

つまり、**積み立て始めてから数年で売ってしまっている人**が、それなりの割合でいるということです。年代別では20代が比較的多く売却している傾向です。利益が出ていたから売ったのでしょうし、引き出したお金に何か有用な目的があったのなら問題はないのですが、**運用益非課税のメリットを活用した資産形成**という面ではもったいないなと思います。

例えばＮＩＳＡで毎月2万円を2年間積み立て、5万円の利益が出ているので売ったとします。通常はその利益の約20％が税金として徴収されるのですが、運用益非課税の制度では徴収されないので、この場合のメリット額は約1万円です。

一方、60歳まで引き出せないｉＤｅＣｏでは、すぐに受け取れないので短期の利益確定は少ない傾向です。こちらは老後に利用目的が限定されるので、積立額は半分の1万円として、年利回り４％で20年間積み立てたとして試算してみます。すると積立総額２４０万円に対して運用益は約１２７万円となり、非課税によるメリット額は25万円強にもなります。期間を10年としても運用益は27万円なので、手にする運用益も、非課税の恩恵を受けられる金額も、**たった２年間で売ってしまうよりは相当大きくなります。**

このように、資産価値が増大するものに積み立て投資をする場合、**長期の方が大きな利益を生むことは事実**です。でもそれは頭では分かっていても、人間は目の前にすぐに手にできる利益を差し出されると、どうしてもそちらを優先する行動に出がちです。

運用益はマーケット動向次第ですから、特に利益が出ている局面では、「待てば利益がもっと大きくなる」という期待よりも、**「売らずに値下がりして損したらどうしよう……」という不安**の方が往々にして大きくなります。結果として、遠い将来の不確実な大きな利益よりも、今確実に手に入る小さな利益を確保したい気持ちに駆られるのです。特にＮＩＳＡの場合は、60歳まで引き出せないｉＤｅＣｏと違って、売却さえすれば現実にその利益を今手にできるため、**利益確定したくなる誘惑が強くなるので要注意**です。

iDeCoを活用する上でのヒント

iDeCoでは運用商品として投資信託の他に、定期預金などの元本確保型商品も選択可能です。ただ、現状の低金利下では資産が増えることは期待できませんし、非課税メリットも生かすことがほぼできないので本来はお薦めではありません。とはいえ、投資信託の商品が決められなくてスタートできないくらいであれば、まずは**掛け金をすべて預金に入れてでも、iDeCoの積み立てを始めてください**。

投資に不慣れな人、受け取り直前の人は預金も活用

iDeCoは積み立てができる年齢に限りがあります。商品が決めらないという理由で利用しないのは、**せっかくの権利を放棄することと同じ**です。これは機会損失という意味でも非常にもったいないです。それよりは、掛け金の全額を預金とする商品配分で加入手続きをまず済ませて、実際に積み立てが始まる数カ月後、または半年後くらいをめどに、

買い付けの一部を投資信託に設定してみることを考えるといいでしょう。そして投資信託への理解が進んできたら、投資の割合を増やしていくという方法がいいと思います。これらの手続きはパソコンやスマホでも簡単にできます。

もう一つの預金の活用法としては、60歳以降でiDeCoの資産を受け取ろうと思うタイミングが近づいてきたら、株式投資信託など値動きが激しい商品を売って預金に切り替えておくことが考えられます。そうすることで、**受取額に与えるマーケットの影響を小さくできる**からです。

iDeCoの資産の受け取りというのは、一般的には保有商品を売って現金化し、そのお金を受け取るということなので、売却時のマーケットの影響を受けます。すべて一時金として受け取って、住宅ローンの残債の返済に充てようなどという場合は、売却の直前にたまたま相場の暴落が起こって受取額が大幅に減ってしまうことにでもなったら大変です。価格が変動しない預金を上手に使って、**予定通りの金額を受け取れるように、受け取りの数年前から意識して利用する**といいと思います。

またiDeCoの運用における分散投資をする上で、株式投資信託とは値動きが異なる資産として国内債券の投資信託ではなく、預金を使うというのも〝あり〟です。債券は**金利上昇局面では値下がりし、金利低下局面では値上がりする**特性のある金融商品です。国内の金利情勢を見ると、ゼロ金利が続く中でも今後は、時期は分かりませんが、日銀が金利引き上げにいずれかじを切る可能性は大きいでしょう。そうだとすれば、国内債券は値上がりどころか、値下がりリスクが高い投資対象ということになります。

預金は運用商品としてはあまりにも金利が低く資産形成に適しているとは言えませんが、安全資産であることは確かです。すべて株式投資信託で運用するのはリスクが高過ぎると考えるのなら、**国内債券の投資信託の代わりに預金を活用する**ことをお勧めします。

リバランス、配分見直しのタイミング

iDeCoの資産配分を調整するリバランスは、保有資産の値上がりによって、自分のリスク許容度に応じた資産配分と実際の資産配分とに**15％とか20％といった大きな乖離（かいり）が生じた場合**に、利益が出ている資産の一部を売って、割合が減っている（あるいは値下がりしている）資産を購入するという形で行います。タイミングは必要に応じて随時で、数年ごとなどと期間を決めることはありません。

例えば、株式投資信託が値上がりしてその割合が高くなっていると、**運用資産全体の評価額の振れ幅が大きくなり**、株式相場の暴落が起きると資産額が大きく目減りします。それが精神的に耐えられる範囲ならいいのですが、リスク許容度を超えていると怖くなり、損をしている事実を目の前から消し去りたいような気持ちに駆られて、損失を自ら確定す

るような不合理な行動を取ってしまうこともあり得ます。

そうした事態を避けるために、株式投資信託は平時でも**1年間に3割くらい値上がりすることも、逆に3割くらい値下がりすることもある**という認識を持って、現在の保有額や保有割合が自分に許容できるかどうか、1年に1回は確認しましょう。もし許容範囲を超えてかなり多くなっているようなら、大きな利益が出ているわけですから一部を売って預金などに振り向けるといいでしょう。


投資におけるリスク許容度やリスク耐性は、一般的に言われる保有資産額や運用可能な期間以上に、**本人の性格によるところが大きい**と思います。また、投資経験を重ねていくと徐々に許容度や耐性が高まっていくのが通常です。一方、iDeCoは資産が着実に積み上がっていくので、配分は同じでも高リスク資産の保有額、つまりマーケットから受ける影響額は大きくなっていくため、年1回は今の配分で問題ないか確認しましょう。

さらに、預金活用の部分で述べたように、自分が受け取ろうと思っている時期が数年後に迫ってきたら、リスク許容度・リスク耐性とは別に、**受取額を安定させる意味でも保守的な資産配分にする**ことを心掛けるといいでしょう。

Chapter

6

こんな時どうする？どうなる？Q&A

この章ではQ&Aの形式で、NISAとiDeCoに関する疑問に答えます。両制度の仕組みや使い方について、理解をより深めましょう。

Q

利用の限度額は誰かがチェックして範囲内に収まるようにしてくれるの？

A

金融機関がチェックし、買い過ぎないような仕組みが整っているので安心してください。

【新NISAの場合】

年間の投資可能額について、契約先金融機関で「つみたて投資枠が120万円」「成長投資枠が240万円」に収まっているかをチェックしてくれます。年間の投資枠を使い切ったら、たとえ積み立て投資の設定がされていても新たな買い付けは行わず、**限度額を超**

えて買うことがないような仕組みになっています。これは、2023年までの一般NISA、つみたてNISAと同じです。

ただし、新NISAの枠組みとして設定された非課税保有限度額の1800万円については、新しい概念となります。利用者それぞれの非課税資産としての保有状況は、**金融機関から提供された情報を国税庁が管理する**ことになっています。なぜなら、NISAは年によって契約先金融機関を変更でき、前年までの資産残高は元の契約先に置いておくことが可能なので、単独の金融機関では生涯投資枠に当たる非課税保有限度額の管理が困難だからです。

他の金融機関で保有している前年までの資産残高は、2月上旬にならないと国税庁から新たな契約先金融機関に情報提供がされません。従って、他社に資産を置いたままNISAの契約先金融機関を変更した場合には、1月・2月の買い付けは非課税保有限度額に十分に収まるような控えめの金額にする必要があります。

ただし、年間の限度額がつみたて投資枠と成長投資枠を合わせても360万円、非課税保有限度額が1800万円ということを考えると、**2028年まではこの点を気にする必要はありません**。自分が非課税保有限度額の中で、どれだけ既に利用しているかといった情報は、「マイナポータル」で情報照会ができる仕組みを整えることになっています。

【iDeCoの場合】

年間の拠出限度額は働き方などによって異なります（96ページ参照）。これは「iDeCoナビ」（https://www.dcnenkin.jp）でも確認できます。働き方は転職や独立などによってても変わりますから、毎月、積立額と拠出限度額が合っているかどうかを**iDeCoの運営母体である国民年金基金連合会がチェック**しています。

ただし転職した際には、たとえ限度額が変わらなくても、限度額に関わる被保険者種別や勤務先といった情報を変更する手続きが必ず発生します。情報を更新しておかないと、限度額を確認できない人と見なされ、最悪の場合は積み立てをストップされてしまうので要注意です。**契約先の金融機関に連絡し、必要書類を提出**してください。

企業型ＤＣ（企業型確定拠出年金）とｉＤｅＣｏを併用している人の場合、その両方の掛け金を合算して月額５万５０００円以下（企業型ＤＣだけでなくＤＢ＝確定給付企業年金もある場合には同２万７５００円以下）というルールも満たす必要があります。企業型ＤＣの事業主掛け金が役職や勤続年数によって増えた場合、ｉＤｅＣｏの拠出限度額が下がり、それまで設定していたｉＤｅＣｏの積立額が限度額に抵触してしまうことがあります。こういった場合には、国民年金基金連合会の方で**引き落とす積立額をその人の限度額の範囲に引き下げ、本人にその旨を通知する**形で金額変更が行われるようになっています。

このように本人が何かしなくても減額する仕組みはありますが、先回りして自分で減額の手続きをすることももちろん可能です。

先に説明した転職の都度発生する勤務先情報の変更手続きは、本人も、勤務先の事業主を含めた関係機関も負担が重いので、デジタル化による事務改善の対象となっています。既に、企業年金関係者が連携し、2024年12月までの完成を目指して限度額情報のデータベースを構築中です。これが完成すれば、勤め人が限度額を証明してもらうために事業主に依頼していた「事業主の証明書」が、口座振替の場合は不要となる予定です。そのほか、マイナンバーを活用した手続きの簡素化が議論されていますので、iDeCoの申し込みもスマホで簡単に手続きできる日が、ようやくやって来そうです。

Q

契約先金融機関を変えることはできますか？

A

できます。
ただし幾つか注意すべき点があります。

ＮＩＳＡでもｉＤｅＣｏでも、購入したい商品がないとか、サービスに不満がある場合は契約先金融機関を変えることができます。ただし、ＮＩＳＡとｉＤｅＣｏではその方法に主な違いが３つあります。

【１】 契約変更できるタイミングが、ＮＩＳＡは1月から12月までという税金の年度ごとに1回だけという制約がありますが、ｉＤｅＣｏにはそういう制約はありません。

【２】 ＮＩＳＡと異なり、ｉＤｅＣｏでは契約先を変えたらそれまでの資産残高を旧契約先に置いておくことができず、現金化した上で新しい契約先の運用商品に預け替えることになります。

【3】 iDeCoの場合、ネット証券など一部の金融機関では契約先を変更する場合に4400円（税込み）の手数料がかかります。NISAでは基本的に手数料はかかりません。

これらを含めて、少し詳しくお話ししていきます。

NISAの契約先を変更する場合

これまでの資産残高の取り扱い方によって2つの方法があるので、どちらにするかをまず決めます。

① 残高を現在の契約先に残したままにする方法

② 残高を売却または課税口座に移し、現在の契約先のNISA口座を廃止する方法

の2つです。

【手続き1】 現在の契約先に連絡し、NISA口座の契約先を次の年から他の金融機関に変えたい旨を伝えます（金融機関によってウェブサイト、コールセンターなど受け付け方法が異なります）。

↓

【手続き2】 現在の契約先から「金融商品取引業者等変更届出書」が送られてくるので、必要事項を記入して提出します。

←

【手続き3】 新たな契約先にＮＩＳＡ口座の申込書類を請求します。既にＮＩＳＡ口座を保有しているかどうか確認されるので、他社でＮＩＳＡ口座を保有する旨を伝えます。

←

【手続き4】 現在の契約先での手続きが済むと、**①の場合**は「勘定廃止通知書」が、**②の場合**は「非課税口座廃止通知書」が送られてくるので、新たな契約先への申込書類と共に提出します。

新たな契約先と税務署での審査が完了すれば、新しいＮＩＳＡ口座が開設されます。

金融機関によって、投資できる商品や資産の取り崩しのサービスなどには違いがあります。特に株式やＥＴＦは証券会社しか取り扱っていませんので、投資信託以外にも投資するために、銀行から証券会社に契約先を変更するということはあるかもしれません。

iDeCoの契約先を変更する場合

【手続き1】 新しく契約したい金融機関に、契約先金融機関を変更したい旨を連絡します（金融機関によってウェブサイト、コールセンターなど受け付け方法が異なります）。

←

【手続き2】 新規口座開設書類と共に「加入者等運営管理機関変更届」が送られてくるので、必要事項を記入し、必要な添付書類と共に提出します。

留意点1：現金で移換されること

iDeCoの場合、**現在の契約先金融機関側への手続きは必要ありません**（ここはNISAと異なる点です）。「加入者等運営管理機関変更届」の提出を受けて、新しい契約先が現在の契約先と連絡を取り、積み立てを止めて、現在の契約先にあるiDeCo口座で保有中の資産を移す作業が進められます。資産の移換は事務処理スケジュールにのっとって売却指示が出され、現金化した上で、移換先である新しい契約先のiDeCo口座へ現金としてまず入金されます。

この移換金について、**あらかじめ買い付け商品を指定できる**「**配分指定書**」**を提出して**いれば、その指示に基づいて移換時に商品の購入が行われます。提出していない場合は、新しい契約先で指定されている商品（デフォルト商品）を購入することになります。資産移換の手続きが完了すると、「移換完了通知書」が送られてくるので、パソコンやスマホで運用商品を自分が投資したい商品に変更してください。

留意点2：移換手数料がかかる場合があること

契約先の変更に伴う資産移換に対して、**手数料（4400円・税込み）を徴求**する金融機関があります。それは次の証券会社や銀行などです（2023年9月時点）。

SBI証券、楽天証券、auカブコム証券、マネックス証券、松井証券、大和証券、スルガ銀行、auアセットマネジメント、さわかみ投信

留意点3：移換にかかる期間など

iDeCoの契約先金融機関の変更は、手続きだけを見ると手軽そうですが、必ず**資産の売却を伴う**こと、売却も移換先での商品購入も事務処理として行われるので、処理日の**マーケット次第で損失を被るリスクがある**こと、売却・移換に少なくとも2カ月、場合によっては3カ月かかり、**その間は移換資産に対する運用指図ができない**こと、といったデメリットがあります。ですから、できれば契約先を変更しなくて済むように、最初に契約する際に長く付き合えそうな金融機関を選ぶことをお勧めします。

Q iDeCoでもつみたて投資枠（つみたてNISA）の対象商品を買えますか？

A 多くの場合、買えます。

老後資金づくりに適した商品としてラインアップされている iDeCo の投資信託は、長期・積み立て・分散に適した新NISAのつみたて投資枠（2023年までのつみたてNISA）の対象商品となっているものも多いので、iDeCoでも買うことが可能です。情報サイト「iDeCoナビ」（https://www.dcnenkin.jp/）を使って、以下の方法で検索してみてください。

つみたて投資枠（つみたてNISA）対象の投資信託を絞り込む

（1）契約先または契約先候補の商品ラインナップから

●iDeCoナビのトップページ→「商品内容で比較」の画面で金融機関名をクリック

→各社の商品一覧を表示した後、一覧の上にある「つみたてNISA対象商品のみを表示」をチェック。※QRコードで直接アクセスできます。

金融機関によりますが、これで検討候補の投資信託の数を3分の1程度にぐっと絞れます。

(2)運用商品比較(リターンで比較)の商品一覧から

●iDeCoナビのトップページ→iDeCo（イデコ）運用商品比較の「リターンで比較」→比較したいカテゴリーを選択→一覧の上にある「つみたてNISA対象商品のみを表示」をチェック。※QRコードで直接アクセスできます。

アクティブ型投資信託については、つみたて投資枠の対象商品として認められるに当たって、これまでの資金流入の状況や資産残高などの要件を満たしています。そのため、一定の資産規模を今後も維持して、長期に安定的なリターンを期待できそうです。そうした好成績の商品の絞り込みに活用してください。

(3)運用商品比較(運用管理費用で比較)の商品一覧から

●iDeCoナビのトップページ→iDeCo（イデコ）運用商品比較の「運用管理費用で比較」→比較したいカテゴリーを選択→一覧の上にあ

る「つみたてＮＩＳＡ対象商品のみを表示」をチェック。※ＱＲコードで直接アクセスできます。

インデックス型投資信託（パッシブ投資信託）は手軽に分散投資ができ、コスト（運用管理費用＝信託報酬）も低いのが利点です。つみたて投資枠の対象商品であればコストが一定水準以下で、連動する指数（インデックス）も特殊な指数ではなく、幅広い分散投資が実現できるものに限定されています。そうした長期の分散投資に向く投資信託を絞り込むのに活用してください。

Q

投資について学べるウェブサイトやコンテンツ、書籍を教えてください。

A

「基本的な知識」と「基礎的な考え方」の両方を知っておくといいので、その2つの面から紹介します。

【1】投資についての「基本的な知識」を学ぶ

投資の基本的な知識とその仕組みを理解しておくことはとても大切です。公的な団体が無償で情報提供しているものも充実してきていますので、以下のウェブサイトを参考にするといいと思います。

投資信託協会 https://www.toushin.or.jp/

投資信託の基本的なことに加えて、口座開設から売却までの実践的な内容が網羅された

「わかりやすい投資信託ガイド」などのガイドブックや、それぞれの投資信託を知るために欠かせない交付目論見書や運用報告書の見方などをまとめた**「なるほど投資信託説明書ガイド」「まるわかり!! 運用報告書」**などのリーフレットが、ＰＤＦで閲覧できます（トップページ右上の「ガイドブック」から）。個人に限り、申し込めば冊子を無料で送付してもらうことも可能です。

日本証券業協会

https://www.jsda.or.jp/

投資信託だけでなく、株式や債券を含めた金融商品の仕組みやリスク、その他の関連情報がまとめられた**「サクサクわかる！ 資産運用と証券投資スタートブック」**や**「個人投資家のための証券税制Q&A」**などがPDFで閲覧できます（トップページ→「投資を始めたい方、初心者の方へ」→「投資の時間」→「冊子のご案内」から）。個人に限り、申し込めば冊子を無料で送付してもらうことも可能です。

【2】投資についての「基礎的な考え方」を学ぶ

投資というのは、単にお金をつぎ込んでもうけることだけではなく、お金を世の中に回していくという行為です。次に紹介する2冊の書籍は、専門的な知識がなくてもその投資の本質を分かりやすく解説してくれています。自分や社会の将来・未来について、家族や子供などと語り合う上でもお薦めの本です。

『お金のむこうに人がいる　元ゴールドマン・サックス金利トレーダーが書いた　予備知識のいらない経済新入門』

田内学・著／ダイヤモンド社

「投資」や「お金」というものの本質と、経済の中で果たしている役割を学ぶことができる入門書です。

『ビジネスエリートになるための　教養としての投資』

奥野一成・著／ダイヤモンド社

投資家としての「思想」や「視点」を持つことの価値について、分かりやすく解説されている投資の入門書です。

Q 自分が死んだらNISAやiDeCoの保有資産はどうなりますか?

A いずれも遺族(相続人)が受け取ります

【NISAの場合】

故人が株式や投資信託などを持っていた場合、それらはすべて「**相続財産**」となります。遺言があればそれに従って、なければ法定相続人で遺産分割協議を行い、相続の手続きを進めていくことになります。

保有資産をそのまま相続するのではなく換金する場合も、**故人名義の口座のままでは売却ができない**ので、代表相続人の証券総合口座に故人保有の株式などを移します。故人がNISA口座に保有していた資産は、相続人のNISA口座に移すことはできず、証券総合口座の特定口座・一般口座といった課税口座に移すことになります。**故人と同じ金融機関に口座を持たないと移管できない**場合が多く、必要に応じて相続のために故人が取引していた金融機関に相続人が新たに口座を開設することになります。

税金については、相続した資産の評価額が相続税の対象になります。また相続後は課税口座での取り扱いなので、相続した資産を売却する際に利益が出ていれば所得税・住民税もかかることになります。その際に重要になるのが、その資産をいくらで買ったかという取得価格です。故人のＮＩＳＡ口座からの相続では、そこでの運用益には税をかけないという考えに基づいて、**相続発生時の価格を相続人の取得価格として扱う**ことになります（通常の課税口座で故人が保有していた株式などは、故人がかつて取得した時の価格がそのまま引き継がれます）。

故人のＮＩＳＡ口座から相続人の課税口座に移した後、相続時よりも高い価格で売却した場合には、故人の取得価格にかかわらず、相続時からの値上がり益に対して20・315％の税金（復興特別所得税含む）がかかることになるので留意してください。

【iDeCoの場合】

故人が60歳に到達しているかどうかにかかわらず、**遺族が死亡一時金として受け取ります**。ｉＤｅＣｏの死亡一時金は、受け取れる遺族の範囲及び順位が法令により決められており、遺族であれば誰でも受け取れるというわけではありません。通常の民法の相続順位とは異なり、左記の通り規定されています。

【iDeCoの死亡一時金の請求順位】

第1順位：指定受取人
第2順位：配偶者（死亡の当時、事実上婚姻関係と同様の事情にあった者を含む）
第3順位：子、父母、孫、祖父母、兄弟姉妹の順で、死亡した人の収入によって生計を維持していた人
第4順位：第3順位の人以外で、死亡した人の収入によって生計を維持していた親族
第5順位：子、父母、孫、祖父母、兄弟姉妹の順で、第3順位の人に該当しない人

第1順位にある「指定受取人」とは、配偶者、子、父母、孫、祖父母、兄弟姉妹の中からあらかじめ受取人として登録された人のことを指します。**配偶者以外に死亡一時金を渡したい人**の希望があれば手続きをしておきましょう。第3順位と第4順位のように、死亡した人の収入によって生計を維持されていた人は、そうでない人よりも優先されます。

死亡一時金の請求は死亡時から5年以内とされ、金額は残されたiDeCoの資産を売却した時価相当額となります。税の取り扱いは、死亡後3年以内に死亡一時金の支給が確

定した場合は、相続税法上の「みなし相続財産」となり、「**500万円×法定相続人の数の金額まで非課税**です。死亡後3年超5年以内に支給された場合は、「一時所得」の扱いとなります。さらに死亡後5年を過ぎると、確定拠出年金の死亡一時金として受け取ることができなくなり、死亡した人の他の資産（現金や不動産など）と同じく相続財産として取り扱われます。そして、もしも遺族から受け取りの申し出がない場合は、法務局に供託されてしまいます。

遺族に早めに受け取り手続きをしてもらうため、iDeCoに加入していること、その契約先金融機関の情報などは**家族に伝えておいた方がいい**ですね。

Q 自己破産したらNISAやiDeCoの保有資産はどうなりますか?

A それぞれ取り扱いが異なります。以下、解説します。

【NISAの場合】

NISAの保有資産は、通常の有価証券（株式、債券など）や預金と同じ扱いになります。一定の金額以上で、生計の維持に**必ずしも必要でないと見なされると差し押さえの対象**になります。

【iDeCoの場合】

iDeCoを含む確定拠出年金の資産は、確定拠出年金法第32条で、「給付を受ける権利は、譲り渡し、担保に供し、または差し押さえることができない。ただし、老齢給付金及び死亡一時金を受ける権利を国税滞納処分(その例による処分を含む)により差し押さえる場合は、この限りでない」と定められています。

つまり、税金の滞納がなければ**差し押さえの対象にはならず**、60歳以降に給付を受けることができます。老後という誰にでもやって来るライフイベントのために備えているお金は、**将来の最低限の生活に必要な財産**として法律によってしっかりと守られていると言えます。

Q 積み立てを中断したくなったらどうすればいいですか？

A 積立額を減らしたり、ストップしたりできます。

収入が減る、支出が増えるなどして、投資に回すお金が厳しくなることもあるでしょう。NISAでもiDeCoでも、そんな時は無理をしないで可能な範囲で積立額を調整してください。

【NISAの場合】

従来のNISAでも新NISAでも、積み立ての減額や停止は**契約先金融機関に申し入れすれば可能**です。ネットでの手続きに対応する金融機関が多いので、比較的簡単に手続きできると思います。

【iDeCoの場合】

iDeCoも積み立ての減額は可能ですが、年1回限り（12月分から翌年11月分までの間で）しかできません。また、**最低月額5000円より少なくすることはできません**。ただし、積み立ての停止や再開はいつでも可能です。積み立てをストップしても資産残高の運用は継続し、**口座管理料も引き続き負担**します。積み立て停止期間中の口座管理料は残高から差し引かれることになり、資産が目減りする可能性があるので要注意です。

手続きは、契約先金融機関のウェブサイトやコールセンターで連絡して必要書類を取り寄せ、記入後に返送します。手続きにある程度時間がかかり、減額・停止・再開のいずれも翌々月の引き落としに反映するようなスケジュール感です。

NISAもiDeCoも、積み立てを減額・停止すると資産形成のスピードが落ちます。将来の自分のために回せるお金の余裕が多少なりともできたら、**可能な範囲で積立額をまた増やす（停止している場合は再開する）**ことも忘れないでください。

【参考にした文献・資料】

●金融庁／報道発表資料「証券に関する税制が大幅に改善されることになりました」
https://www.fsa.go.jp/news/newsj/14/syouken/f-20021220-3.html

●金融庁／統計・データ集「NISA・ジュニアNISA利用状況調査」
https://www.fsa.go.jp/policy/nisa2/datacollection/

●厚生労働省／「平成30年就労条件総合調査」
https://www.mhlw.go.jp/toukei/itiran/roudou/jikan/syurou/18/

●総務省統計局／統計データ「家計調査年報（家計収支編）2022年（令和4年）」
https://www.stat.go.jp/data/kakei/2022np/

●日本証券業協会／「英国における個人の中長期的・自助努力による資産形成のための投資優遇税制等の実態調査」報告書
https://www.jsda.or.jp/shiryoshitsu/houkokusyo/isahoukoku160623.html

●日本経済新聞／記事「NISAの積み立て、お得なのは毎日？ 毎月？ 年1回？ お金を殖やすツボとドツボ（61） 編集委員 田村正之」
https://www.nikkei.com/article/DGXZQOCD073CY0X00C23A5000000/

●投資信託協会／統計データ「資産増減状況 株式投信の商品分類内訳（月次）」
https://www.toushin.or.jp/statistics/statistics/

人生には思いがけないことが起こる、と夫が最近倒れてつくづくそう思いました。

夫は常々、「後悔なきように人生を楽しむ」「お金ではなく仕事や遊びを通じて得られる幸せな思い出という財産をためよう」と公言し、実行していました。夫が70歳という公的年金繰り下げの限界年齢（1952年4月1日以降の生まれは75歳まで繰り下げ可能）に達し、年金を受け取るようになってからは、私たち夫婦は生活費をほぼでそれで賄い、これまで一生懸命働いて稼いだお金で共通の趣味である旅行に出掛けて、心豊かに暮らしていました。

一転、入院でベッドの上の人になってしまった夫ですが、それでも二人で行った旅行先の思い出話を語り合うことは、私たちを幸せな気持ちにしてくれます。これを実行できたのは、社会保険、そして資産形成や資産運用に関する正しい知識と経験によって、定年後の10年間を乗り切れたからだと思います。

世の中には「老後のお金」に対する不安があふれていますが、私が夫婦で体感して思うのは、準備さえ怠らなければなんとかなる！ということです。実際、日本のシニア世代は日々の暮らしや旅行などの趣味を謳歌している世帯が多いのが現実です。

しかし、現在の50代以下の方にとって、老後というのは誰もが未体験であり、不安に思うのは仕方がないことでしょう。老後のお金については、金額的にも大きくて複雑なイメージがありますし、信頼性が比較的高いメディアや金融機関からも不安をあおるような情報が発せられることが多いので、「具体化」「見える化」することが怖くて、なかなかできていない人が多いのではないでしょうか。

人間は感情で動く動物ですが、お金は「金勘定」と言われるように、「感情」とは切り離して「勘定」で考えることが大切です。ですからこの本では、ＮＩＳＡやｉＤｅＣｏの制度の詳細にも増して、制度の捉え方や考え方、利用する上でのポイントにページを割き、具体的なアクションにつなげられるようにしたつもりです。

この本は、夫婦合わせてちょうど40冊目になる記念すべき一冊です。私たちの会社「オフィス・リベルタス」のミッションは〝サラリーマンがリタイアした後に、本当の「自由」を得て幸せな生活を送れるよう支援すること〟です。

夫は定年まで38年間、私は45歳まで22年間サラリーマンとして働き、その後、多くの方々に支えられて、自らの信念に合った仕事だけをするという自由を得ています。その経験を踏まえた定年前後のマネープランの本が多いのですが、当初は夫が主に定年前後の男性に向けた『定年楽園』『定年３・０』といった本を、２０２０年あたりになるといよいよ女性も定年を迎えるまで勤めるのが普通の時代になり、今度は私が『「サラリーマン女子」、定年後に備える。』などを出版しました。さらに会社設立10年目の２０２２年には、初めての夫婦共著である『定年後夫婦のリアル』で、定年前後の夫と妻それぞれの立場から、お金・仕事・生活に関する不安やそれをどう乗り越えたかについてつづりました。

夫は今回も、途中に何度も筆が止まり投げ出しそうになる私を励まし、アイデアを出して支えてくれました。おかげで書き上げることができました。本当に感謝しています。また、日経BP 日経トレンディ編集部の小谷真幸さんには、私の意図が多くの方に伝わるよう、文章や図表のブラッシュアップの面でサポートしていただきました。本当にありがとうございました。

多くの方に手に取っていただき、40～50代以降に老後のお金を本格的に準備する際のガイドとして活用していただければ幸いです。

2023年9月　大江加代

大江加代（おおえ・かよ）

確定拠出年金アナリスト

株式会社オフィス・リベルタス代表取締役。大手証券会社に勤務していた22年間、一貫して「ビジネスパーソンの資産形成」に関わる業務に携わる。2012年に独立し、資産形成、投資信託、確定拠出年金（企業型DC／iDeCo）、定年前後のマネープランをテーマとする講演活動を中心に、執筆活動も行っている。確定拠出年金の分野においては日本の草分け的な存在で、2015年にNPO法人・確定拠出年金教育協会の理事に就任。現在、厚生労働省・社会保障審議会委員を務める。2024年のNISAの大幅拡充には、2022年の「資産所得倍増分科会」の構成委員として関わった。著書に『「サラリーマン女子」、定年後に備える。お金と暮らしと働き方』（日経BP）など。

新NISAとiDeCoで資産倍増
人生100年時代の新しいお金の増やし方

2023年10月30日　第1版第1刷発行
2024年　1月　5日　第1版第2刷発行

著　者	大江 加代
発行者	佐藤 央明
編　集	小谷 真幸（日経トレンディ）
発　行	株式会社日経BP
発　売	株式会社日経BPマーケティング 〒105-8308　東京都港区虎ノ門4-3-12
装丁・本文デザイン	中川 英祐（Tripleline）
作　図	中澤 愛子
印刷・製本	大日本印刷株式会社

ISBN978-4-296-20344-4

イラスト／PAGE-stock.adobe.com